Débats

Collection dirigée par
Alain-G. Gagnon

Laïcité et valeurs québécoises

Les sources d'une controverse

**Projet dirigé par Pierre Cayouette, éditeur
en collaboration avec Raphaelle D'Amours, adjointe éditoriale**

Conception graphique : Sara Tétreault
Mise en pages : André Vallée – Atelier typo Jane
Révision linguistique : Sylvie Martin et Diane-Monique Daviau
En couverture : Illustration réalisée à partir d'une image de
© Amplion / shutterstock.com

Québec Amérique
329, rue de la Commune Ouest, 3e étage
Montréal (Québec) Canada H2Y 2E1
Téléphone : 514 499-3000, télécopieur : 514 499-3010

Nous reconnaissons l'aide financière du gouvernement du Canada par
l'entremise du Fonds du livre du Canada pour nos activités d'édition.

Nous remercions le Conseil des arts du Canada de son soutien. L'an
dernier, le Conseil a investi 157 millions de dollars pour mettre de l'art
dans la vie des Canadiennes et des Canadiens de tout le pays.

Nous tenons également à remercier la SODEC pour son appui financier.
Gouvernement du Québec – Programme de crédit d'impôt pour l'édition
de livres – Gestion SODEC.

Conseil des arts   Canada Council
du Canada   for the Arts

SODEC
Québec

**Catalogage avant publication de Bibliothèque et Archives nationales
du Québec et Bibliothèque et Archives Canada**

Lamy, Guillaume
Laïcité et valeurs québécoises : les sources d'une controverse
Présenté à l'origine par l'auteur comme thèse (de maîtrise-Université du
Québec à Montréal), 2014 sous le titre : Cartographie de la controverse
entourant le rapport de la Commission Bouchard-Taylor (2008-2013).
Comprend des références bibliographiques.
(Débats)
ISBN 978-2-7644-2924-2 (Version imprimée)
ISBN 978-2-7644-2938-9 (PDF)
ISBN 978-2-7644-2939-6 (ePub)
1. Laïcité - Québec (Province). 2. Débats et controverses - Québec
(Province). I. Titre. II. Collection : Débats (Éditions Québec Amérique).
BL2765.C3L35 2015   322'.109714   C2015-940394-4

Dépôt légal : 2e trimestre 2015
Bibliothèque nationale du Québec
Bibliothèque nationale du Canada

Guillaume Lamy

Laïcité et valeurs québécoises

Les sources d'une controverse

CRÉQC
CHAIRE DE RECHERCHE DU CANADA
EN **ÉTUDES QUÉBÉCOISES ET CANADIENNES**

QuébecAmérique

Débats

La collection « Débats » est consacrée à des ouvrages faisant état des grands enjeux culturels, politiques et sociaux au Québec et explore les questions de citoyenneté, de diversité et d'identité qui traversent les sociétés plurinationales. En collaboration avec la Chaire de recherche du Canada en études québécoises et canadiennes, cette collection est réalisée par les Éditions Québec Amérique et dirigée par Alain-G. Gagnon, titulaire de la Chaire et professeur titulaire au département de science politique de l'Université du Québec à Montréal. Outre le présent ouvrage, la collection compte déjà 17 titres :

Un Québec exilé dans la fédération, Essai d'histoire intellectuelle et de pensée politique, Guy Laforest en collaboration avec Jean-Olivier Roy, 2014.

Les Nouveaux visages du nationalisme conservateur au Québec, Jean-Marc Piotte et Jean-Pierre Couture, 2012.

La Diversité québécoise en débat, Bouchard, Taylor et les autres, Bernard Gagnon, collectif, 2010.

La Reconnaissance dans tous ses états. Repenser les politiques de pluralisme culturel, sous la direction de Michel Seymour, 2009.

La Raison du plus fort. Plaidoyer pour le fédéralisme multinational, Alain-G. Gagnon, 2008. PRIX JOSEP MARIA VILASECA I MARCET, 2007.

Pluralisme et démocratie. Entre culture, droit et politique, sous la direction de Stéphane Vibert, 2007.

Les Nationalismes majoritaires contemporains : identité, mémoire, pouvoir, sous la direction d'Alain-G. Gagnon, André Lecours et Geneviève Nootens, 2007.

Le Poids de la coopération. Les rapports France-Québec, Frédéric Bastien, 2006.

Le Français, langue de la diversité québécoise, sous la direction de Pierre Georgeault et Michel Pagé, 2006.

Désenclaver la démocratie. Des huguenots à la paix des Braves, Geneviève Nootens, 2004.

Justice, démocratie et prospérité. L'avenir du modèle québécois, sous la direction de Michel Venne, 2003.

Critique de l'américanité. Mémoire et démocratie au Québec, Joseph Yvon Thériault, 2002. PRIX RICHARD-ARÈS, 2003 et PRIX DE LA PRÉSIDENTE DE L'ASSEMBLÉE NATIONALE DU QUÉBEC, 2003.

Québec : État et société, tome 2, sous la direction d'Alain-G. Gagnon, 2002.

Repères en mutation. Identité et citoyenneté dans le Québec contemporain, sous la direction de Jocelyn Maclure et Alain-G. Gagnon, 2001.

Récits identitaires. Le Québec à l'épreuve du pluralisme, Jocelyn Maclure, 2000.

Penser la nation québécoise, sous la direction de Michel Venne, 2000.

Le Québec dans l'espace américain, Louis Balthazar et Alfred O. Hero Jr, 1999. PRIX RICHARD-ARÈS, 1999.

L'Ingratitude. Conversation sur notre temps, Alain Finkielkraut, avec Antoine Robitaille, 1999. PRIX AUJOURD'HUI, 1999.

Québec 18 septembre 2001. Le monde pour horizon, Claude Bariteau, 1998. PRIX RICHARD-ARÈS, 1998.

Duplessis : Entre la Grande Noirceur et la société libérale, sous la direction d'Alain-G. Gagnon et Michel Sarra-Bournet, 1997.

À Chantal, Claire-Marie et André

TABLE DES MATIÈRES

INTRODUCTION
Une tectonique identitaire

Les controverses sont ces événements qui travaillent les fondations des sociétés. Les poussant tantôt d'un côté, tantôt de l'autre, le choc des idéologies façonne le destin collectif et offre à toute société une signature. Le Québec n'y échappe pas.

Les enjeux identitaires gravitent au sommet des controverses qui ont fléchi notre trajectoire commune. Véritable carrefour des enjeux politiques, l'identité québécoise ressemble à ce point de contact entre diverses plaques tectoniques où des éruptions et des fossés apparaissent, produisant le relief d'un visage : le nôtre.

Dès la Nouvelle-France, les tensions entre catholiques et protestants ainsi que les mariages entre colons et Amérindiennes ont écrit les premières lignes de l'histoire de nos sensibilités. L'élément religieux n'étant pas seul en lice, le rattachement, forcé par la Conquête, des Canadiens à l'Empire britannique mérite aussi être cité. Les crises liées à la guerre des Boers et à l'enrôlement obligatoire lors des deux guerres mondiales soulignent à leur tour que l'identité collective n'est pas muette et qu'elle ne se laisse pas déranger comme un meuble. Au XXe siècle, la langue française a pris le relais en devenant une poudrière d'où ont surgi de féroces mouvements, comme en témoignent les émeutes linguistiques des années 1960 et 1970. Surtout, en exigeant de faire un choix entre le Québec et le Canada, les référendums de 1980 et 1995 sur l'indépendance du Québec ont fait émerger deux montagnes qui surplombent tout le paysage.

Depuis qu'elle existe, l'identité québécoise repose bel et bien sur le chevauchement entre diverses plaques tectoniques : celles des religions minoritaires se frottant à celle de la majorité catholique ; celle de la souche française sévèrement bousculée par celle de l'Empire britannique ; sans oublier celles des langues. Il y a quatre siècles, le hasard de la géopolitique des empires européens a décidé qu'il y aurait de l'action en Amérique du Nord, et la voilà qui se perpétue une fois de plus dans les politiques publiques du Québec. Depuis 2006, un autre chapitre s'écrit sous nos yeux dans la longue saga de nos disputes identitaires : celui de la laïcité.

S'il fallait résumer l'ambition de ce livre en quelques mots, ce serait de mettre de l'ordre dans le chaos de la controverse de la décennie. Le but étant de cartographier les forces en présence pour recenser les échelles de valeurs des différentes familles de pensée. Tout cela pour offrir, enfin, un document qui fait état du clivage idéologique québécois en matière de laïcité au début du XXIᵉ siècle.

QU'EST-CE QU'UNE CONTROVERSE ?

Les controverses ne sont pas des débats comme les autres. Elles se distinguent par la charge émotive de leurs échanges, par l'ampleur de la mobilisation populaire qu'elles suscitent et par le sentiment qu'un moment historique se joue, car, comme le résume Georg Simmel, le conflit porte le germe de la société de demain[1]. Tout cela fait en sorte qu'une controverse forme une masse qui réorganise la vie intellectuelle et politique pour que tout gravite autour d'elle. Quand tout le monde se sent obligé d'intervenir, que la discussion transperce les frontières des disciplines et que des coalitions se forment pour faire bloc, cela signifie que les ingrédients ont pris et que les choses ne seront plus comme avant.

Les controverses ont une forme qui les distingue des confrontations ordinaires. Rassemblés autour d'un objet de dispute, les

---

1. Simmel, Georg (2003). *Le conflit*, Belval (France) : Circé, 158 pages.

opposants d'une controverse s'attaquent mutuellement dans une arène de mots afin de disqualifier la position de leurs vis-à-vis. Le dialogue de sourds qui s'échafaude comme un mur entre adversaires cessera de décevoir si l'on déplace les yeux, parce que l'argumentation entre parties ne se fait pas à deux, mais à trois, devant un tiers qui observe et qu'il faut persuader. C'est pourquoi les controverses ressemblent à un théâtre où des camps s'affrontent pour remporter la sympathie d'un jury.

Figure 1.1

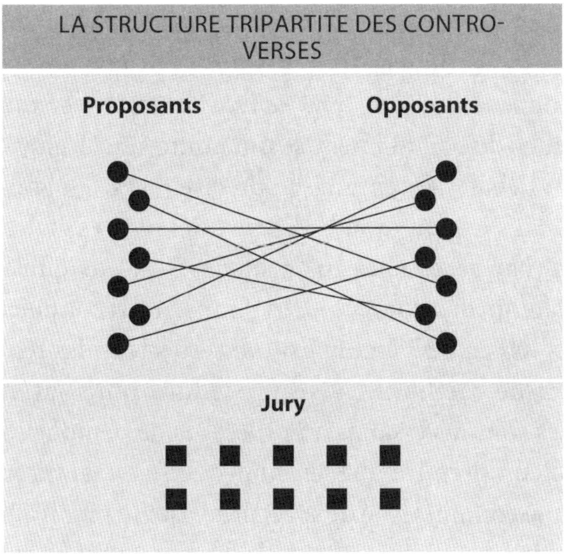

LA STRUCTURE TRIPARTITE DES CONTRO-VERSES

Proposants   Opposants

Jury

Dans le cas d'une controverse scientifique, le jury rassemble les directeurs d'institutions et ceux qui sont responsables de leur financement et de leurs orientations. Dans le cas des controverses idéologiques, ce tiers renvoie au public ou à l'opinion médiatique dans son sens large. Fondamentalement, l'enjeu suprême de la controverse sur la laïcité est d'influencer la mémoire collective pour discréditer un modèle plutôt qu'un autre aux yeux de la population et de la classe politique.

Une même énergie traverse les controverses, qu'elles soient scientifiques ou idéologiques. La crise qui les caractérise perturbe l'ordre en place et révèle les discordes vivantes, à un moment précis, au sujet de la légitimité de certaines idées politiques (dans le cas des controverses idéologiques) et d'hypothèses ou de théories (dans le cas des controverses scientifiques). Comme le dit Cyril Lemieux, une controverse se présente comme un «processus de dispute [qui] est toujours une épreuve, c'est-à-dire une situation dans laquelle les individus déplacent et refondent l'ordre social qui les lie[2]».

Malgré les similarités évidentes de leurs tourbillons, on peut percevoir de grandes incompatibilités entre les controverses scientifiques et la controverse idéologique liée à la laïcité québécoise. Les controverses scientifiques sont marquées par une homogénéité du profil des opposants. En ce sens, ce type de controverses est prisonnier des clubs de scientifiques, ce qui limite sérieusement l'élargissement du débat, car, comme le précise Yves Gingras, elles «se déroulent dans le petit monde des revues savantes et des colloques spécialisés (peu accessibles aux profanes[3])». Ceux qui les animent doivent détenir des compétences similaires reconnues par leurs opposants. Les acteurs en opposition respectent des règles d'argumentation, de méthode et de procédure qui font consensus, puisqu'elles sont nécessaires au processus de démonstration. Cela permet de comprendre que les controverses scientifiques sont le propre d'une communauté de spécialistes qui se réunit autour d'une énigme[4]. Une fois l'énigme résolue, la dispute prend fin et l'ensemble de la communauté scientifique se range derrière un nouveau cadre de référence (aussi appelé paradigme) qui surpasse les autres en qualité et en potentiel explicatif. Ainsi, la controverse s'éteint et une nouvelle *science normale*, selon le sens de Thomas Kuhn, prend place. En résumé, les controverses scientifiques ne s'allument qu'à

---

2. Lemieux, Cyril (2007). «À quoi sert l'analyse des controverses?». *Mil neuf cent*, n° 25, p. 193.

3. Gingras, Yves (2013). *Sociologie des sciences*. Paris: Presses universitaires de France. Coll. «Que sais-je?», p. 117.

4. Kuhn, Thomas (1983). *La structure des révolutions scientifiques*. Paris: Flammarion. Coll. «Champs», p. 60.

la suite d'une découverte anormale qui montre qu'une théorie scientifique n'est pas en mesure d'expliquer la réalité adéquatement[5]. S'ensuit un choc entre un ancien paradigme comprenant des défauts et des insuffisances et un nouveau, qui se présente comme mieux adapté.

Tableau 1.1

RESSEMBLANCES ET DIVERGENCES ENTRE LES CONTROVERSES IDÉOLOGIQUES ET SCIENTIFIQUES	
CE QUI LES RASSEMBLE	
Contexte de crise	
Communauté divisée dans un espace commun	
Structure triadique	
CE QUI LES DISTINGUE	
Scientifiques	**Idéologiques**
Homogénéité entre proposants, opposants et jury	Hétérogénéité entre proposants, opposants et jury
Espaces clos, débat exclusif	Espace public, débat inclusif
Recherche le consensus	Dissensus indépassable
Faits, méthodes	Valeurs, énoncés moraux
Règles communes de démonstration	Rhétorique et démarche persuasive

Les controverses idéologiques, comme celle de la laïcité, ne calquent pas les critères qui viennent d'être énoncés. D'abord, parce que les débats qui les animent s'étendent à toutes les couches de la société. Ensuite, on n'y observe aucune restriction du droit de parole établi en fonction de l'identité ou des compétences des participants. Enfin, lors d'un débat de nature politique ou morale, il n'y a pas de règles d'argumentation précises à partir desquelles tous les opposants se seraient préalablement entendus.

En effet, peu d'acteurs du débat sur la laïcité québécoise ont tenté de jouer le jeu scientifique et quantitatif, qui aurait demandé de « prouver » qu'une position était supérieure aux autres selon des

---

5. *Ibid.*, p. 98-99.

critères objectifs. Contrairement aux controverses scientifiques, les controverses publiques ne se résorbent pas par l'épuisement des arguments d'un groupe. Les valeurs qui sont au cœur des controverses idéologiques rendent les énoncés irréfutables parce qu'ils ne reposent pas sur des méthodes de mesure et de construction de preuves. Les énoncés de valeurs qui meublent les débats idéologiques sont avancés par leurs défenseurs parce que ces derniers leur accordent une valeur intrinsèque qui ne relève pas d'une rationalité universelle. Ainsi, contrairement à ce qu'on observe en science, les controverses idéologiques évoluent dans un *dissensus* perpétuel, car, comme le signale Marc Angenot, la démonstration et la réfutation ne peuvent servir de mécanismes pour retracer l'évolution des idéologies[6].

LE CONFLIT, UNE FAÇON DE FAIRE SOCIÉTÉ

La controverse encerclant le modèle que doit adopter le Québec en matière de laïcité étant éminemment politique, elle offre plusieurs de ses angles à la sociologie des conflits. Telle que traitée par Julien Freund et Georg Simmel, cette approche ne considère pas le conflit comme une pathologie sociale dont on pourrait épargner les sociétés. En statuant de la sorte, ces deux auteurs ont ouvert la voie à une analyse post-marxiste des conflits en soutenant que ces derniers ne découlent pas toujours des inégalités économiques.

Quoique la lutte des classes réussisse à résumer l'origine de certains conflits, elle fait fi d'une source considérablement plus puissante dans laquelle les conflits émergent inévitablement : la diversité des identités. Comme le rappelle Freund, la pluralité est intrinsèquement polémogène[7]. Dans un sens similaire, Weber explique que les conflits sont inévitables en société parce que « divers ordres de valeurs s'affrontent dans le monde en une lutte inexpiable [8] », c'est-à-dire que, dans une société pluraliste où tant de valeurs se veulent universelles, le conflit devient inévitable lorsque arrive le temps de faire des règles

---

6. Angenot, Marc (2008). *Dialogues de sourds : traité de rhétorique antilogique*. Paris : Mille et une nuits, 450 pages.

7. Freund, Julien (1983). *Sociologie du conflit*. Paris : Presses universitaires de France, p. 8.

8. Weber, Max (1996). *Le savant et le politique*. Paris : Éditions 10/18, p. 105-106.

pour tous. Ainsi, pour la sociologie, le conflit ne constitue pas une anomalie. Il peut être étudié pour lui-même afin de mieux comprendre l'évolution des sociétés, parce que, pour reprendre les mots de Simmel, le conflit est « le germe d'une future communauté[9] ». En ce sens, on peut en effet résumer le parcours des sociétés comme une instabilité évolutive dont le conflit forme l'un des agents. C'est pourquoi Alain Touraine considérait, entre autres, le conflit comme un « moteur de l'histoire[10] ». En d'autres mots, le dénouement d'un conflit, par la victoire d'un groupe sur un autre, sinon par le compromis, oriente ou immobilise la trajectoire collective.

Comme Simmel le souligne, les conflits sont des processus socialisants dans la société[11]. Ils fortifient les identités individuelles et grégaires, car les opposants sont poussés à faire le choix d'un camp, de valeurs et d'anti-valeurs. En mobilisant des milliers de citoyens dans des manifestations publiques et en publiant des textes comptant plusieurs centaines et parfois des milliers de noms, la controverse sur la laïcité qui a duré de 2006 à 2014 a aussi produit cet effet au Québec.

Cependant, la socialisation des auteurs d'une controverse s'opère aussi à un autre niveau. Selon Julien Freund, le conflit se définit par la volonté de nuire aux intérêts des opposants[12]. Tout cela permet de montrer que le conflit révèle une autre dimension à la définition des relations sociales de Max Weber, lui qui faisait reposer la nature de la société sur l'intersubjectivité. La controverse se présente ainsi comme une relation sociale toute particulière parce que le lien qui la compose est le heurt. Lors des controverses, l'argumentation d'un groupe se fait toujours avec la visée de discréditer celle des autres par la dénonciation, la polémique, l'accusation, etc.

C'est à ce niveau que la sociologie des conflits offre une meilleure perspective pour comprendre que les controverses unifient

---

9. Georg Simmel (*Soziologie*, Berlin : Duncker & Humblot, 5ᵉ éd., 1968, p. 195), cité dans Freund (1983), p. 50.

10. Touraine, Alain (1973). *Production de la société*. Paris : Seuil, 543 pages.

11. Simmel, Georg. *Op. cit.*, p. 19.

12. Freund, Julien. *Op. cit.*, p. 66.

malgré la crise qui les nourrit, car, en démocratie, les conflits inter-pellent les institutions responsables de les réguler, telles que les tribunaux, le droit et les lieux de décisions politiques, comme l'Assemblée nationale du Québec. Étonnamment, le conflit poli-tique permet donc de faire société. Ainsi, pendant les débats sur la laïcité, ceux qui ont débattu ont cherché à modifier le contenu des institutions sans demander à les faire disparaître. C'est pourquoi Simmel dit du conflit qu'il entraîne malgré tout « une forme d'uni-fication[13] » qu'on peut résumer comme une réunion par le désac-cord. La controverse sur la laïcité a forcé la mobilisation des intellectuels et des citoyens qui ont fait des interventions commu-nes afin d'avoir un impact sur les politiques publiques. Dans un moment fort de mobilisation, des coalitions et des regroupements d'intellectuels, d'universitaires et de citoyens se sont formés pour intervenir conjointement dans l'espace médiatique afin de faire entrer l'histoire du Québec dans un modèle de laïcité plutôt que dans l'autre.

---

13. Simmel, Georg. *Op. cit.*, p. 13.

CHAPITRE 1
Laïcité : une controverse qui ouvre le XXIᵉ siècle, la chaîne des événements

Le premier jalon de l'histoire de la laïcité au Québec remonte à 1763 alors que la couronne britannique reconnaissait la liberté de religion pour les catholiques, qui venaient d'être conquis[1]. En abolissant le serment du test au Canada en 1774, par crainte que les nouveaux sujets britanniques rejoignent la révolution américaine, Londres a prouvé une seconde fois que la laïcité relevait de la gestion politique des tensions identitaires. Depuis, la tension entre les religions et l'État s'est réincarnée dans le temps de diverses façons. Malgré les progrès en matière de neutralité religieuse et de séparation entre les Églises et l'État au XXᵉ siècle, le débat sur la laïcité n'a pas été archivé au tournant du millénaire. Une séquence d'événements a réussi à raviver les débats politico-religieux au point d'en faire la controverse politique de la décennie.

1.1 LES CAS PRÉLIMINAIRES À LA CONTROVERSE

Depuis les années 2000, plusieurs cas médiatiques et juridiques à saveur religieuse ont retenu l'attention au Québec. D'abord, en juin 2001, la Cour supérieure du Québec a confirmé la légalité des érouvs installés dans les rues d'Outremont, qui servent, selon la coutume, à étendre symboliquement le domaine privé permettant aux juifs de

---

1. Milot, Micheline (2002). *Laïcité dans le Nouveau Monde*. Turnhout (Belgique) : Brepols, p. 44.

sortir de chez eux lors du sabbat et d'autres fêtes judaïques[2]. Ensuite, en 2004, un arrêt de la Cour suprême du Canada a autorisé l'installation de souccahs sur les balcons dans Outremont, malgré l'interdiction municipale qui s'appliquait jusque-là[3]. À ceci s'ajoute la tornade médiatique générée, aussi en 2006, par la recommandation de l'ancienne procureure générale de l'Ontario, Marion Boyd, d'instaurer des tribunaux d'arbitrage familial fondés sur le droit musulman dans cette province[4]. Même si cela concernait une juridiction ontarienne, cela a mené à une motion, entérinée à l'unanimité et sans débat, de l'Assemblée nationale du Québec contre l'éventuelle « implantation des tribunaux dits islamiques au Québec et au Canada[5] ». D'autre part, en 2006, on assistait au renversement de la décision de la Cour d'appel du Québec par la Cour suprême du Canada d'interdire le port du kirpan dans une école[6]. Alors que le sujet des jugements à saveur religieuse commençait à susciter de plus en plus de critiques, on a ramené au cœur des discussions l'autorisation, accordée en 1990, du port du turban sikh à des membres de la Gendarmerie royale du Canada, ce qui a entraîné la modification du règlement lié à l'uniforme de service.

D'autres cas, n'interpellant pas les autorités légales directement, se sont transformés en catalyseurs pour les réserves et contestations à l'égard des ajustements accordés par diverses organisations ou instances pour harmoniser la diversité. En mars 2006, une communauté hassidique de Montréal a financé l'installation de vitres givrées dans un gymnase à proximité d'une synagogue juive pour éviter que des femmes ne soient vues en tenue de sport[7]. En décembre 2006, la Cour de justice de l'Ontario commandait de retirer le sapin de Noël du hall du palais de justice afin d'éviter que les non-chrétiens ne se

---

2. « Outremont : l'erouv est légal », www.radio-canada.ca, mise à jour le vendredi 22 juin 2001. Consulté le 18 mars 2011.

3. Syndicat Northcrest c. Amselem, [2004] 2 R.C.S. 551, 2004 CSC 47.

4. « Un comité ontarien recommande la création d'un tribunal islamiste », *Le Devoir*, 21 décembre 2004.

5. Motion du jeudi 26 mai 2005. Voir le *Journal des débats*, vol. 38, n° 156 pour la 37e législature, 1re session.

6. Multani c. Commission scolaire Marguerite-Bourgeoys.

7. « Derrière des vitres givrées », www.radio-canada.ca, mise à jour le mardi 7 novembre 2006. www.radio-canada.ca/regions/Montreal/2006/11/07/006-YMCA-Parc_n.shtml (consulté le 26 septembre 2011).

sentent exclus de cette institution[8]. En mars 2007, une piste de danse a été temporairement convertie en lieu de prière dans une cabane à sucre de la Montérégie[9]. Lors de ce même mois, le directeur général des élections confirmait la légalité du vote à visage couvert[10], remettant ainsi la question du voile intégral au centre des discussions publiques.

C'est la succession de cas de cette nature qui a mené à l'adoption des *Normes de vie d'Hérouxville* rédigées par le conseil municipal de cette municipalité en janvier 2007. Dans sa première version, ce texte visait à informer les nouveaux arrivants en leur soulignant l'interdiction de lapider, d'exciser et de brûler les femmes ainsi que de porter le voile musulman dans la ville. Un des membres de cette municipalité située en Mauricie exigeait également le décret de l'état d'urgence à l'échelle provinciale dû à la menace que posait, selon lui, la pratique de l'accommodement raisonnable fondé sur la religion[11]. Qu'on ait forcé ou non le trait de ce manifeste à des fins stratégiques[12] n'empêche pas ce document d'avoir retenu sérieusement l'attention de la population québécoise et même du monde entier. Des gens y ont adhéré et l'ont défendu même dans le monde universitaire[13], d'autres l'ont condamné. Des municipalités, comme Saint-Roch-de-Mékinac, Grandes-Piles et Trois-Rives, ont même soutenu l'action d'Hérouxville en songeant à adopter des consignes d'intégration allant dans un sens similaire[14].

---

8. « Christmas tree banned from courthouse lobby », *CBC news*, mise à jour le 14 décembre 2006. www.cbc.ca/news/canada/toronto/story/2006/12/14/christmas-tree.html (consulté le 18 mars 2011).

9. « Montérégie – Des accommodements raisonnables à la cabane à sucre ! », reportage, LCN, mise à jour le 19 mars 2007 à 8 h 10. http://tvanouvelles.ca/lcn/infos/regional/archives/2007/03/20070319-081025.html (consulté le 26 septembre 2011).

10. « Le DGE le confirme. Voter masqué, c'est légal », *Journal de Montréal*, 23 mars 2007.

11. Thompson, Bernard (2007). *Le syndrome Hérouxville ou les accommodements raisonnables*. Boisbriand : Éditions Momentum, p. 107.

12. « Le Code d'Hérouxville n'était qu'une blague », www.radio-canada.ca, région Mauricie, 26 mai 2011. www.radio-canada.ca/regions/mauricie/2011/05/26/004-blague-code-herouxville.shtml (consulté le 26 septembre 2011).

13. Labelle, Gilles. « Quand Hérouxville parle », *Le Devoir*, 30 octobre 2007.

14. « Hérouxville à l'Assemblée nationale », www.radio-canada.ca, région Mauricie, mise à jour le vendredi 2 février 2007. www.radio-canada.ca/regions/mauricie/2007/02/01/003-herouxville_boulet_n.shtml (consulté le 2 octobre 2011).

1.2 LA COMMISSION BOUCHARD-TAYLOR

Le 8 février 2007, jugeant la tendance inquiétante pour l'équilibre des relations intercommunautaires[15], le gouvernement provincial a décidé de mettre sur pied la Commission de consultation sur les pratiques d'accommodement reliées aux différences culturelles (CCPARDC), aussi connue sous le nom de la commission Bouchard-Taylor. À court terme, le but de cette commission était de calmer le jeu médiatique pour préserver l'harmonie relative qui existait au sein de la diversité québécoise en confiant le sujet chaud à un groupe de spécialistes. À plus long terme, l'objectif était de formuler des recommandations aux autorités publiques qui permettraient de baliser les pratiques d'ajustements de la diversité afin que ne se reproduisent plus de telles controverses.

Contrairement à ce qui était espéré au départ, la commission Bouchard-Taylor n'a pas été en mesure d'éteindre la controverse. Le thème de l'accommodement raisonnable est devenu le catalyseur d'un débat identitaire général et les commissaires, Gérard Bouchard et Charles Taylor, n'y sont pas pour rien dans ce qui s'est transformé en sujet de société de premier plan. À aucun moment, pendant tous les mois qu'a duré la controverse entourant la commission Bouchard-Taylor, le débat ne s'est limité à la pratique de l'accommodement raisonnable telle que définie juridiquement. Cette expansion vers plusieurs thématiques connexes a même été souhaitée par les commissaires. Volontairement, ils ont interprété leur mandat dans un sens étendu. Le mandat, tel que formulé de manière stricte, demandait : a) de dresser un portrait fidèle des pratiques d'accommodements ; b) d'en analyser les enjeux en tenant compte des expériences hors du Québec ; et c) de soumettre un rapport final avec des recommandations au gouvernement[16]. Tout ceci aurait pu être réalisé à huis clos, en réunissant divers spécialistes de la question, loin du débat

---

15. Rapporté par Antoine Robitaille, « Accommodements : Charest en appelle à la raison », *Le Devoir*, 9 février 2007.

16. « Pratiques d'accommodement : les citoyens seront consultés dès septembre », communiqué de la CCPARDC du 7 juin 2007.

public, des médias et de la population. Or, ce n'est pas cette avenue qui a été retenue par les présidents de la Commission.

Les commissaires ont plutôt proposé de comprendre le phénomène en remontant jusqu'à ses racines. C'est ainsi que sera formulée l'interprétation élargie de leur mandat :

> La seconde façon [d'interpréter le mandat] consistait à voir dans le débat sur les accommodements raisonnables le symptôme d'un problème plus fondamental concernant le modèle d'intégration socioculturelle mis en place au Québec depuis les années 1970. Cette perspective invitait à revenir sur l'interculturalisme, l'immigration, la laïcité et la thématique de l'identité québécoise. C'est cette deuxième voie que nous avons choisi d'emprunter, dans le but de saisir le problème à sa source et sous toutes ses facettes, en prêtant aussi une attention particulière à ses dimensions économique et sociale[17].

Cette interprétation annonçait donc tout un chantier, de surcroît lorsque les commissaires Bouchard et Taylor décidèrent que cette vaste enquête devait concerner directement la population en donnant « la parole aux citoyens[18] ». La Commission est devenue, en conséquence, un des grands moments de débat identitaire que le Québec a connu dans son histoire.

Au total, pendant les nombreux mois de son déroulement, cet exercice a donné lieu à 326 audiences au sein de 22 forums répartis dans les 16 régions administratives du Québec. Le tout a mobilisé 3423 citoyens et généré la rédaction de 900 mémoires. Le matériau engendré par ce rassemblement collectif forme le portrait du climat des débats identitaires au sein du Québec contemporain. Pour cette raison, il est assuré que les archives de la commission Bouchard-Taylor seront évidemment très utiles pour les prochaines générations de chercheurs. Le nombre d'interventions préparées par la population constitue un état des lieux que peu de nations occidentales ont eu la

---

17. *Fonder l'avenir : le temps de la conciliation*. Rapport intégral. Commission de consultation sur les pratiques d'accommodement reliées aux différences culturelles, Québec, 2008, p. 17.

18. Taylor, Charles. « Commission Bouchard-Taylor sur les pratiques d'accommodement. Pour aider le Québec à composer avec sa diversité », *Le Devoir*, 15 août 2007.

chance de rassembler. Dans un *dissensus* inévitable, toutes les visions du Québec et de son devenir ont été exprimées. La controverse a finalement recoupé les questions des rapports intercommunautaires, de l'identité québécoise, des valeurs collectives, de la laïcité, de la place de la religion dans l'espace public et dans les institutions, du modèle d'intégration des immigrants, des rapports entre les minorités et la majorité et aussi de l'égalité entre les hommes et les femmes.

L'objectif ultime de cette vaste consultation était encore plus ambitieux que la portée des thèmes retenus : arriver à la construction d'un « terrain d'entente » qui orienterait le Québec, comme d'autres réformes l'ont fait dans le passé, qu'il s'agisse de la Révolution tranquille, de l'étatisation du système scolaire, de la Charte des droits et libertés ou de l'instauration de la loi 101[19]. Face à une telle plateforme, la controverse était inévitable et les clivages idéologiques, évidents.

1.3 LE RAPPORT BOUCHARD-TAYLOR

Les conclusions de ce vaste exercice de consultation public peuvent se résumer en trois grands axes. Le **premier** mise sur l'ouverture à la diversité culturelle et religieuse pour intégrer la diversité à la société ainsi que pour atteindre l'égalité entre citoyens. Cette philosophie s'observe d'abord par la légitimation de l'accommodement raisonnable fondé sur des revendications religieuses. Pour le résumer, l'accommodement raisonnable est une évolution jurisprudentielle apparue à compter des années 1980 qui oblige les employeurs du secteur public ou privé et les institutions à accommoder, dans la mesure du raisonnable, certaines demandes des usagers ou des employés lorsque certaines normes entrent en conflit avec leurs *profondes* et *sincères* convictions religieuses. Cela se traduit dans la pratique par l'assouplissement de certaines règles lorsqu'elles font l'objet d'une plainte pour discrimination fondée sur la religion ou la croyance. Selon le jugement qui a fondé la jurisprudence en 1985, l'obligation d'accommoder « consiste à prendre des mesures raisonnables pour s'entendre avec le plaignant, à moins que cela ne cause

---

19. *Ibid.*

une contrainte excessive : en d'autres mots, il s'agit de prendre les mesures qui peuvent être raisonnables pour s'entendre sans que cela n'entrave [sic] indûment l'exploitation de l'entreprise de l'employeur et ne lui impose [sic] des frais excessifs[20] ».

La laïcité ouverte défendue dans le rapport Bouchard-Taylor se fonde partiellement sur ce dispositif juridique pour assurer l'égalité des citoyens en ce qui a trait à la liberté de conscience et de religion. Selon les principes de cette forme de laïcité, c'est par l'écoute des revendications religieuses des citoyens qu'on arrive à un rapprochement interreligieux et interculturel. Ainsi, ce modèle s'oppose fermement au confinement des manifestations religieuses à la sphère privée. Cela conduit à un accueil de la diversité religieuse et de ses pratiques dans l'espace public et dans les institutions, pour autant que cela ne nuise pas à la liberté d'autrui. Dû à sa compatibilité avec l'accommodement raisonnable fondé sur des revendications religieuses, la laïcité ouverte prolonge la logique des traitements différenciés, sur laquelle se base la discrimination positive, par exemple, car elle accorde des exceptions aux normes afin que l'égalité juridique soit rattrapée par une égalité de fait au sein de la diversité.

Le **deuxième axe** du rapport Bouchard-Taylor repose sur une enquête concernant la légitimité de la contestation de la pratique des accommodements raisonnables et, plus largement, des ajustements de la diversité au Québec. Ainsi, les présidents affirment clairement que, si crise interculturelle il y a eu, elle relevait des perceptions[21]. Tordue par le phénomène de la rumeur et du journalisme à sensation, la transmission des informations n'a pas respecté les faits. À cette « mésinformation » s'ajoute la difficulté d'aborder les questions complexes dans l'univers médiatique contemporain. Ces facteurs de déformation des faits et de nuisance à la qualité de l'information auraient donc créé une dissonance entre la réalité interculturelle et l'opinion publique, générant ainsi un sentiment de

20. Commission ontarienne des droits de la personne c. Simpsons-Sears, [1985] 2 RCS 536, 1985 CanLII 18 (CSC). http://www.canlii.org/fr/ca/csc/doc/1985/1985canlii18/1985canlii18.html.

21. *Fonder l'avenir*, p. 18 et 69.

crise injustifié. Cela a donc eu pour effet d'amplifier un mouvement de rejet populaire, qui aurait pu ne pas apparaître dans d'autres circonstances[22].

Le **troisième axe** du rapport de la Commission concerne les sensibilités collectives des « Québécois canadiens-français[23] ». Issues de conditions historiques, les craintes de ce groupe seraient celles des peuples minoritaires, qui perçoivent plus facilement des dangers à l'égard de la survie de leur culture. Cette racine alimentant l'inquiétude de cette *majorité-minorité* (majorité au Québec, mais minorité en Amérique du Nord) était donc le socle nécessaire à la possibilité d'interpréter les divers cas d'ajustements comme des menaces aux valeurs ayant eu cours jusque-là ?

Dans l'ensemble, il faut retenir que le rapport de la commission Bouchard-Taylor n'a pas fait preuve de rupture avec l'état des choses qui a mené à sa création. Sa posture dénonçant une « crise des perceptions[24] », son insistance quant à la nécessité d'informer la population en matière de différences culturelles et religieuses, tout comme les appels à l'officialisation des balises déjà partiellement officielles que sont l'interculturalisme et la laïcité ouverte ont témoigné que la situation vers laquelle le Québec se dirigeait avant la Commission était la bonne et qu'elle devait être confirmée. Ces grandes orientations du rapport permettent de délimiter les points de rupture à partir desquels les interprétations de divers groupes sont entrées en collision.

1.4 LE PROGRAMME ÉTHIQUE ET CULTURE RELIGIEUSE

En parallèle à la commission Bouchard-Taylor, un débat connexe de la laïcité s'est ouvert au Québec : celui du nouveau programme Éthique et culture religieuse (ÉCR). La genèse de ce programme remonte d'abord à une volonté d'achever la déconfessionnalisation du système d'éducation mise en branle par la commission Parent

---

22. On peut lire à ce sujet deux interventions des commissaires dans les journaux, dès le lendemain du dépôt de leur rapport : Bouchard, Gérard et Charles Taylor, « La crise des perceptions » et « Fabrication d'un malaise », dans *Le Devoir* du 24 mai 2008.

23. *Fonder l'avenir*, p. 208.

24. *Ibid.*, p. 18.

durant les années 1960, ensuite au rapport Proulx[25] en 1999, qui devait planifier l'après-confessionnalité du système scolaire. Ce rapport a mené, en 2005, au projet de loi 95 modifiant diverses dispositions législatives de nature confessionnelle dans le domaine de l'éducation. Cette loi est à la base de la création du cours *Éthique et culture religieuse* mis en place dans les écoles à partir de l'automne 2008.

Une importante opposition s'est levée contre ce cours[26]. Parmi elle, deux tendances distinctes se sont manifestées. L'une provenant surtout de la Coalition pour la liberté en éducation (CLÉ) qui évoquait un attachement à l'enseignement religieux à l'école. Sa demande principale était de revenir au *statu quo ante* en réenchâssant dans l'article 41 de la Charte québécoise des droits et libertés la clause « qui spécifie que les programmes scolaires doivent respecter les croyances et convictions des parents dans les institutions d'enseignement[27] ».

L'autre branche d'opposition au cours ÉCR allait dans le sens contraire. Elle a été provoquée par l'absence d'enseignement de l'athéisme, de l'agnosticisme ainsi que par la carence de contenu critique envers le discours religieux. Jugeant le contenu « biaisé en faveur du surnaturel [tout] en escamotant [son] côté négatif [28] », le président de l'Association humaniste du Québec (AHQ) se retrouvait en phase avec le Mouvement laïque québécois (MLQ) et demandait la *disparition* du volet « culture religieuse » du cours en question.

Ainsi, des groupes que tout opposait en matière de religion à l'école (le MLQ et la CLÉ) se sont retrouvés à revendiquer le droit pour les parents d'obtenir une exemption du nouveau cours obligatoire dans le cheminement du primaire et du secondaire autant dans le secteur privé que public[29].

---

25. *Laïcité et religions. Perspective nouvelle pour l'école québécoise. Groupe de travail sur la place de la religion à l'école.* Ministère de l'Éducation du Québec, Québec, 1999, 282 pages.

26. Dion-Viens, Daphnée. « Cours d'éthique et de culture religieuse : le boycottage s'organise », *La Presse*, 14 août 2008.

27. Section « Qui sommes-nous » du site de la Coalition pour la liberté en éducation, http://coalition-cle.org/lacle.php (consulté le 7 novembre 2014).

28. Cauchy, Claire-Andrée. « Les laïcs aussi en ont contre le cours d'éthique et de culture religieuse », *Le Devoir*, 18 avril 2008.

29. *Ibid.*

Le nouveau cours en question reposait sur une approche par compétences au nombre de trois : « réfléchir sur des questions éthiques, manifester une compréhension du phénomène religieux et pratiquer le dialogue[30] ». Visiblement très compatible avec la laïcité ouverte par sa pédagogie de la compréhension des différences religieuses et des revendications qui en découlent, il est aisé de comprendre pourquoi ce cours a été cité avec enthousiasme par le rapport Bouchard-Taylor :

> Nous recommandons fortement au gouvernement de faire une promotion énergique du nouveau cours d'éthique et de culture religieuse qui doit entrer en vigueur en septembre 2008. Il est important que le public sache exactement ce que sont les finalités et le contenu de ce cours ainsi que la fonction indispensable que cet enseignement est appelé à remplir dans le Québec du XXIe siècle[31].

Considéré comme un « outil indispensable[32] » par Gérard Bouchard, ce programme ne pouvait en effet que prolonger les mêmes débats suscités par le texte final de la commission qu'il a dirigée avec Charles Taylor en 2007 et 2008.

1.5 LE PROJET DE LOI 94 ET L'INTERCULTURALISME

Même si le rapport Bouchard-Taylor a été déposé en mai 2008, ses thèmes ont pourtant survécu sous deux autres formes. Cela a eu lieu, en 2010, dans le projet de loi 94 du Parti libéral du Québec visant à interdire de se couvrir le visage pour donner ou recevoir des services publics « si des motifs liés à la sécurité, à la communication ou à l'identification le justifient[33] ». Même si elle allait dans le même sens, cette mesure politique se voulait une réponse plus permissive

---

30. Leroux, Georges (2007). *Éthique, culture religieuse, dialogue : arguments pour un programme*. Montréal : Fides, p. 67-68.

31. *Fonder l'avenir*, p. 260.

32. « Gérard Bouchard défend la nouvelle formation », www.radio-canada.ca, mise à jour le mercredi 20 mai 2009. www.radio-canada.ca/regions/estrie/2009/05/12/001-ethique-culture-drummond-mardi_ n.shtml (consulté le 02 octobre 2011).

33. Projet de loi 94. Loi établissant les balises encadrant les demandes d'accommodement dans l'Administration gouvernementale et dans certains établissements. Article 6. Présenté par la ministre de l'Immigration et des Communautés culturelles, Kathleen Weil, le 24 mars 2010. http://www.assnat. qc.ca/fr/travaux-parlementaires/projets-loi/projet-loi-94-39-1.html.

que ce que recommandait le rapport des commissaires Bouchard et Taylor, qui proposait d'interdire le port de symboles religieux aux représentants de l'État qui se trouvent en position d'autorité, c'est-à-dire «aux magistrats et procureurs de la Couronne, aux policiers, aux gardiens de prison, aux présidents et vice-présidents de l'Assemblée nationale[34]». Ainsi, le projet de loi 94, qui concernait seulement de manière indirecte la religion[35], a été la plateforme la plus minimaliste avancée pendant tous les débats entourant la laïcité au Québec entre 2006 et 2014. Cette posture, défendue par le Parti libéral du Québec, illustre un contraste marqué avec la charte des valeurs québécoises avancée par le Parti Québécois en 2013, qui avait pour ambition d'interdire tout port de symboles ostentatoires aux employés de l'État indépendamment de leur fonction.

L'interculturalisme a aussi constitué un prolongement du débat sur le rapport Bouchard-Taylor, car, selon le document des commissaires, ce modèle d'intégration de la diversité figure comme la voix à suivre pour le Québec[36]. Même si d'autres auteurs l'ont défendu dès les années 1990, c'est Gérard Bouchard qui l'a remis de l'avant à partir de 2011, d'abord avec un symposium international, ensuite dans un essai[37].

La philosophie sociale soutenant l'interculturalisme vise à concilier les volontés parfois incompatibles entre la majorité et les minorités du Québec en tentant d'offrir une double garantie. Tentative de créer une sorte de «troisième voie» entre le multiculturalisme canadien et l'assimilation uniformisatrice adoptée dans d'autres pays, ce modèle souhaite placer le français à la base de l'avenir de la communauté politique en faisant de cette langue le point de convergence nécessaire à l'interaction intercommunautaire. Toutefois, dans le but de respecter les chartes de droit, ce modèle cherche aussi à garantir un espace de liberté nécessaire aux groupes minoritaires afin qu'ils puissent préserver des traits identitaires. Selon ce modèle,

---

34. *Fonder l'avenir*, p. 271.

35. En effet, nulle part dans le texte du projet de loi 94 on ne retrouve le mot «religion» ou tout vocabulaire connexe.

36. *Ibid.*, p. 269.

37. Bouchard, Gérard (2012). *L'interculturalisme : un point de vue québécois*. Montréal : Boréal, 286 pages.

cela doit se traduire par des échanges bidirectionnels entre majorité et minorités, car celles-ci doivent apprendre à s'adapter les unes aux autres par la pratique du compromis ; et l'accommodement raisonnable doit être accepté comme l'une des composantes de cette démarche.

1.6 LA CHARTE DES VALEURS QUÉBÉCOISES

Avec la commission Bouchard-Taylor et son rapport, la charte des valeurs québécoises du ministre Bernard Drainville constitue le deuxième temps fort de la controverse sur la laïcité qui a eu cours de 2006 à 2014. Tout au long des débats qui sont survenus depuis la commission Bouchard-Taylor, les opposants à la laïcité ouverte et aux accommodements raisonnables ont avancé la nécessité d'établir une charte de la laïcité au Québec afin de barrer la route aux accommodements raisonnables fondés sur la religion ou pour les restreindre significativement[38]. Une fois le Parti libéral battu aux élections de septembre 2012, un basculement s'est opéré au sein de l'appareil d'État et un autre courant de pensée a pris possession du programme politique. Ce renversement de situation a mis sur la table un chantier politique auquel s'opposait jusque-là le Parti libéral du Québec, aux commandes du gouvernement de 2003 à 2012. Alors que le gouvernement précédent se tenait aussi loin que possible des idées voulant réglementer le port des symboles religieux chez les employés de l'État, le ministre Bernard Drainville du Parti québécois a présenté un projet de loi[39] interdisant le port des symboles religieux ostentatoires à tous les employés de l'État. Cela a généré une vive réaction, avec la publication du *Manifeste pour un Québec inclusif*, dont le nombre de signataires a atteint plus de 12 000 noms en moins de cinq jours[40] après la présentation du projet de loi 60 par le

---

38. *Mémoire du Collectif citoyen pour l'égalité et la laïcité* (p.13) déposé en mai 2010 lors de la commission parlementaire portant sur le projet de loi 94. Voir aussi Rollande Parent, « Le Mouvement laïque québécois réclame une charte de la laïcité », *La Presse canadienne*, 21 mai 2009, et Daniel Turp, « Pour une charte de la laïcité québécoise », dans Baril et Lamonde (2013), p.117-155.

39. Dont le titre exact était : « charte affirmant les valeurs de laïcité et de neutralité religieuse de l'État ainsi que d'égalité entre les femmes et les hommes et encadrant les demandes d'accommodement ».

40. « Manifeste pour un Québec inclusif : le cap des 12 000 signataires franchi », mise à jour le 15 septembre 2013. http://ici.radio-canada.ca/nouvelles/societe/2013/09/15/001-manifeste-quebec-inclusif-10000-signataires.shtml (consulté le 16 mars 2015).

ministre responsable de la Réforme institutionnelle. La charte du ministre a également joui d'un appui populaire, comme le montre la formation du Rassemblement pour la laïcité, dont la déclaration fondatrice a obtenu 63 000 signatures en l'espace d'une centaine de jours[41]. Le 12 octobre 2013, un sondage *Le Devoir-The Gazette* affirmait qu'une majorité de 46 % des Québécois se rangeait derrière le projet alors que 41 % s'y opposaient[42]. Un autre sondage réalisé par la même firme pour le compte de l'Agence QMI arrivait à un résultat similaire avec 43 % d'appuis contre 42 % de rejets[43]. À la suite d'un jugement favorable de la Cour d'appel du Québec, la pratique de la prière dans l'assemblée municipale de la ville de Saguenay est venue fouetter les ardeurs des défenseurs d'une charte de la laïcité[44].

La controverse identitaire de la laïcité a atteint un paroxysme avec la publication d'une courte lettre de moins de 200 mots signée par Janette Bertrand et une vingtaine de partisanes communément appelée depuis le manifeste des « Janette[45] ». Ce texte anticlérical, qui liait le progrès de la condition féminine au déclin de la religion, a connu une réception aussi polarisée que l'a été la charte du ministre. Les administrateurs de plusieurs organisations publiques, par exemple la plupart des recteurs[46], se sont opposés à la Charte, aux côtés de la Commission des droits de la personne et des droits de la jeunesse, du Barreau du Québec[47] et de quelques hôpitaux, comme le Centre universitaire de santé McGill, l'Hôpital général juif et le Centre hospitalier St-Mary[48]. Néanmoins, l'unanimité n'a pas régné au sein de l'univers universitaire, hospitalier et juridique, car le plus

41. Site du Rassemblement pour la laïcité sous la direction de la Coalition laïcité Québec. www.laicite-quebec.org (consulté le 7 novembre 2014).

42. Bourgault-Côté, Guillaume. « Sondage Léger – L'appui à la Charte se consolide. Déclencher une élection resterait un pari pour le Parti québécois », *Le Devoir*, 12 octobre 2013.

43. « Projet de Charte : 43 % des Québécois pour, 42 % contre », *La Presse*, 16 septembre 2013.

44. Chouinard, Marie-Andrée. « Charte de la laïcité – La Cour d'appel nourrit le débat. Oui à la prière au conseil municipal de Saguenay », *Le Devoir*, 29 mai 2013.

45. Bertrand, Janette. « Le manifeste des "Janette" – Aux femmes du Québec », *Le Devoir*, 15 octobre 2013.

46. « Des universités disent non à la charte », *La Presse*, 3 décembre 2013.

47. Lessard, Denis. « Le Barreau taille en pièces le projet de charte », *La Presse*, 16 janvier 2014.

48. Mémoire du Centre universitaire de santé McGill déposé lors de la commission parlementaire sur la Charte de la laïcité, le 19 décembre 2013, p. 2.

grand syndicat d'infirmières[49], le regroupement des Juristes pour la laïcité et la neutralité religieuse de l'État[50] ainsi que plusieurs professeurs d'université[51] ont soutenu l'initiative du Parti québécois. Le monde syndical a lui aussi été marqué par la division, comme le montre le rejet de la charte par la Fédération autonome de l'enseignement[52] et son adhésion par le Syndicat de la fonction publique et parapublique du Québec[53].

En somme, en plus d'avoir fait déborder le débat bien au-delà des cénacles d'intellectuels, le projet de loi 60 a permis de faire ressortir la complexité du débat sur la laïcité québécoise en montrant que la division persistait au Québec, autant dans le milieu politique que dans la société civile, même six ans après la commission Bouchard-Taylor.

1.7 L'ENJEU DE LA LAÏCITÉ DE 2006 À 2014, NEUF ÉVÉNEMENTS À RETENIR

Comme l'illustre la ligne du temps ci-dessous, les événements qui ont allumé le feu de la controverse sur la laïcité sont au nombre de neuf. Il y a eu d'abord l'apparition de la question des **accommodements raisonnables à caractères religieux** comme phénomène médiatique de premier plan à partir de l'année 2006. Cela a enclenché une contre-réaction dont l'emblème a bel et bien été, en 2007, le **Code de vie d'Hérouxville**. Tout cela a mené à la mise sur pied de la **commission Bouchard-Taylor** et à son rapport ainsi qu'à ses prolongements dans la promotion de l'**interculturalisme** et du **projet de loi 94**. Inévitablement, le nouveau **programme Éthique et**

---

49. « La FIQ prend position en faveur de la Charte de la laïcité québécoise », communiqué de la FIQ du 5 décembre 2013.

50. Bélaire-Cirino, Marco. « Charte de la laïcité. Des juristes veulent rectifier les faits », *Le Devoir*, 3 février 2014.

51. « Charte de la laïcité : le corps professoral de l'UQAM divisé », *La Presse*, 19 décembre 2013. « Des profs de l'UQAM s'affichent pour la charte de la laïcité », *Le Devoir*, 19 décembre 2013.

52. Gervais, Lisa-Marie. « Charte des valeurs – Conflit en vue entre Québec et les enseignants », *Le Devoir*, 5 septembre 2013.

53. « Le SFPQ appuie le projet de charte du gouvernement Marois », radio-canada.ca, mise à jour le mercredi 11 septembre 2013. http://www.radio-canada.ca/nouvelles/societe/2013/09/11/005-syndicat-sfpq-charte-fonctionnaire.shtml.

culture religieuse a été absorbé par la controverse, puisqu'il présentait une adéquation très grande avec le **rapport** de la commission Bouchard-Taylor, car un de ses auteurs concluait justement à la nécessité de ce nouveau cours afin de jeter les bases d'une nouvelle éthique de vie collective entre Québécois de toutes origines. **La prière au conseil municipal de la ville de Saguenay** est venue fouetter les ardeurs de ceux qui réclamaient une officialisation de la laïcité au Québec. Toute la controverse identitaire entourant la laïcité a atteint son paroxysme après l'élection du Parti québécois en 2012, alors que le ministre Drainville a présenté son projet de *Charte affirmant les valeurs de laïcité et de neutralité religieuse de l'État ainsi que d'égalité entre les femmes et les hommes et encadrant les demandes d'accommodement québécois*, communément appelé la **charte des valeurs québécoises**. C'est la succession de ces événements qui a fait évoluer dans le temps la controverse québécoise entourant la question de la laïcité de 2006 à 2014 au Québec.

Figure 1.2

LIGNE DU TEMPS DES ÉVÉNEMENTS RELATIFS À LA LAÏCITÉ AU QUÉBEC DE 2006 À 2014

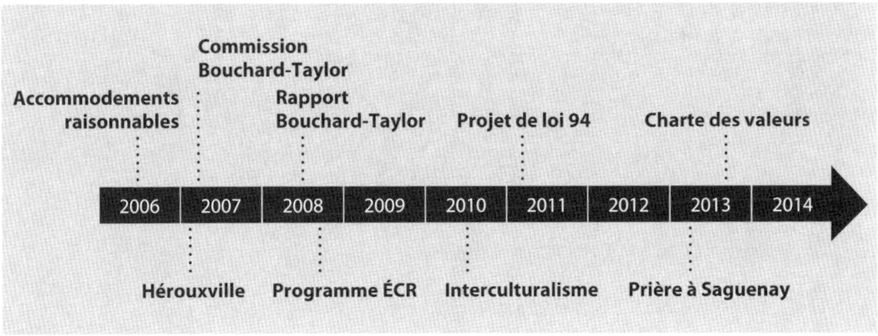

CHAPITRE 2
La laïcité au Québec : un autre clivage politique

En étudiant de près la controverse, une obstruction apparaît rapidement pour qui voudrait classer l'ensemble des voix qui se sont prononcées sur le sujet de la laïcité québécoise. Les catégories les plus utilisées des sciences politiques québécoises deviennent rapidement confondantes, car elles ne permettent pas de distribuer facilement les voix qui se sont exprimées dans les camps bien scellés des pour et des contre. À ce titre, l'axe gauche-droite comme celui opposant indépendantistes et fédéralistes peinent à offrir la profondeur nécessaire pour saisir les importantes nuances qui ont éloigné autant les acteurs de la discussion publique que les organisations politiques et militantes. Ces deux clivages traditionnels se sont fissurés à un point tel qu'il faut leur en préférer d'autres.

2.1 SOUVERAINISTES CONTRE FÉDÉRALISTES, LES LIMITES D'UNE LECTURE

Au sujet de la charte des valeurs du Parti québécois et de son opposé, la laïcité ouverte du rapport Bouchard-Taylor, un abîme s'est ouvert sous les bases souverainistes. Comme si la laïcité défendue de part et d'autre soulevait des problèmes éthiques de premier ordre, plusieurs militants se sont sentis forcés de choisir entre leurs principes et leur parti. Cela a été le cas, entre autres, de Michel Seymour[1] qui,

---

1. Seymour, Michel. « Cachez ce foulard que je ne saurais voir ! », *Le Devoir*, 28 août 2013. À lire aussi un article par Robert Dutrisac, « Le PQ a un discours aux accents frontistes, croit Michel Seymour », *Le Devoir*, 16 janvier 2014.

incapable d'endosser la position du Parti québécois, s'est joint à Québec solidaire et, dans le sens inverse, de Michel Sirois qui a démissionné de cette formation en raison d'un désaccord foncier concernant la laïcité ouverte[2].

De plus, chez les souverainistes, le Nouveau Mouvement pour le Québec[3] et Option nationale ont refusé de prendre position sur la question, jugeant l'enjeu de la charte trop discordant pour les forces souverainistes[4]. Cette polarisation des souverainistes s'est aussi opérée sur la scène fédérale avec l'expulsion du Bloc québécois de Maria Mourani[5], qui s'était prononcée en total désaccord avec la charte du ministre Bernard Drainville. Ce cas a trouvé son contraire avec le départ de la députée Fatima Houda-Pepin du caucus du Parti libéral du Québec, car cette dernière ne pouvait endosser la position minimale de son parti, qui prônait « la liberté totale en matière de signes religieux, tant que le visage demeure découvert, rejetant d'emblée toute forme d'interdit en ce domaine[6] ».

L'unité n'a donc pas mieux régné du côté fédéraliste. En opposant une fin de non-recevoir à toute demande d'accommodement raisonnable tout au long de la commission Bouchard-Taylor, l'Action démocratique du Québec (ADQ) de Mario Dumont a clairement campé une position diamétralement opposée à celle du Parti libéral du Québec. Plus tard, la Coalition avenir Québec (CAQ) de François Legault a avancé une position mitoyenne en matière de laïcité. En proposant de maintenir le crucifix à sa place à l'Assemblée nationale tout en interdisant les symboles religieux aux fonctionnaires en position d'autorité et aux professeurs du primaire et du secondaire du secteur public[7], la CAQ divergeait avec les recommandations du

---

2. Sirois, Michèle. « Laïcité – Québec solidaire fait fausse route », *Le Devoir*, 30 décembre 2009.

3. Pilon-Larose, Hugo. « La Charte divise les souverainistes, soutient Pierre Curzi », *La Presse*, 17 novembre 2013.

4. Ouellet, Martin. « Charte : les mécontents n'ont qu'à plier bagage, estime Michaud », *La Presse canadienne*, 8 janvier 2014.

5. de Grandpré, Hugo. « Maria Mourani expulsée du caucus du Bloc québécois », *La Presse*, 12 septembre 2013.

6. Richer, Jocelyne. « Houda-Pepin quitte le caucus libéral », *La Presse canadienne*, 20 janvier 2014.

7. Journet, Paul. « Charte des valeurs : la CAQ propose un compromis sur l'éducation », *La Presse*, 14 novembre 2013.

rapport Bouchard-Taylor et s'éloignait ainsi visiblement de la position du PLQ, qui s'est appuyée pendant longtemps sur une position minimaliste (précisée dans le projet de loi 94) qui accepte une interdiction des symboles religieux seulement si cela contrevient à des enjeux de sécurité ou d'identification des gens.

Figure 2.1

POLARISATION DES PARTIS SOUVERAINISTES ET FÉDÉRALISTES PAR RAPPORT À LA CHARTE DES VALEURS (2013) ET DE LA LAÏCITÉ OUVERTE (2008)

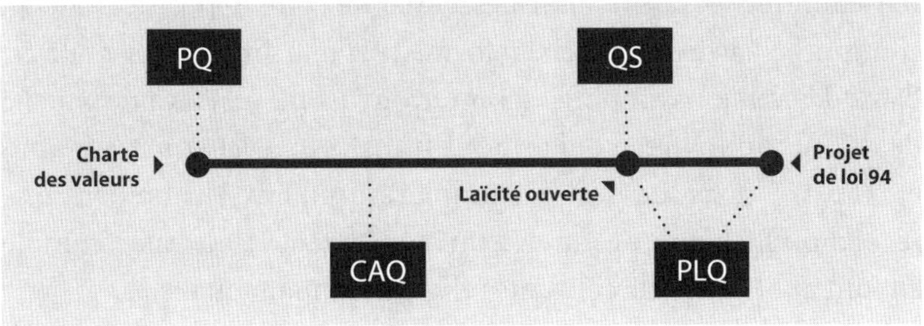

Le 12 février 2014, le Parti libéral a dépassé sa position minimaliste en votant pour le projet de loi 491, qui visait à affirmer la neutralité de l'État et à lutter contre l'intégrisme religieux. Cette mesure préconisait un alignement sur le code vestimentaire défini dans le rapport Bouchard-Taylor, c'est-à-dire qui interdit « à toute personne en autorité contraignante, notamment un juge, un procureur, un policier ou un agent correctionnel, de porter un signe religieux ostentatoire dans l'exercice de ses fonctions[8] ».

2.2 LE CLIVAGE GAUCHE-DROITE, D'AUTRES ANGLES MORTS

En sciences politiques, il n'existe pas d'unanimité sur ce qui distingue absolument la droite de la gauche. On retrouve néanmoins deux grandes visions qui prétendent résumer le clivage politique universel de la modernité.

---

8. Projet de loi n° 491 : Loi sur la neutralité religieuse de l'État et la lutte contre l'intégrisme religieux et modifiant la Charte des droits et libertés de la personne et la Loi sur le ministère du Conseil exécutif. Votée à l'unanimité le 12 février 2014, lors de la première session de la 40e législature.

La première conception repose sur une divergence fondamentale quant à l'égalité. Selon Alain Noël et Jean-Philippe Thérien[9], la gauche pencherait davantage en faveur de l'égalité alors que la droite lui préférerait la liberté. On voit que, de nos jours, cette interprétation du clivage politique explique bien pourquoi les politiques de redistribution de la richesse sont populaires à gauche alors que c'est davantage la responsabilisation individuelle qu'on préconise du côté droit.

L'autre grande interprétation de ce qui distingue fondamentalement la gauche et la droite, comme le résument Danic Parenteau et Ian Parenteau[10], fait reposer l'essentiel de cette opposition sur un continuum entre une gauche réformiste et une droite conservatrice. Dans des versions amplifiées, on retrouve ainsi à l'extrême gauche des révolutionnaires voulant tout transformer *ici et maintenant*, et à l'extrême droite des réactionnaires qui, eux, demandent une révolution à rebours, c'est-à-dire un mouvement vers le passé, comme en font appel certains courants religieux fondamentalistes.

Ces deux principales grilles d'analyse, qui trouvent leur utilité dans plusieurs circonstances, échouent à classer la complexité des interventions qui ont été générées dans la controverse entourant la question de la laïcité au Québec. Sur les principes à adopter et sur leur étendue, les formations politiques, les organisations civiles, les mouvements militants et les gens qui se reconnaissent comme faisant habituellement partie de la droite ou de la gauche n'ont pu que constater leur division marquée par des positions irréconciliables.

Cela était pourtant prévisible car, depuis le XXe siècle au moins, on observe deux tendances rivales dans les courants politiques de gauche. On en retrouve d'abord une d'obédience marxiste, anarchiste ou rationaliste considérant la religion comme un frein, sinon comme un ennemi au progrès social. Voyant «la religion [comme] le soupir de la créature opprimée[11]», des courants de gauche révolutionnaires

---

9. Noël, Alain et Jean-Philippe Thérien (2010). *La gauche et la droite : un débat sans frontières*. Montréal : Presses de l'Université de Montréal, 335 pages.

10. Parenteau, Danic et Ian Parenteau (2008). *Les idéologies politiques : le clivage gauche-droite*. Québec : Presses de l'Université du Québec, 194 pages.

11. Marx, Karl (1843). *Critique de la philosophie du droit de Hegel*. Paris : Éditions sociales, 1974, p. 25.

ont ainsi cherché à provoquer le changement social en dépit de la religion, voire en la combattant. Les applications les plus violentes de cette vision anticléricale ont été mises en place, par exemple, sous Pol Pot, Mao, Staline et aussi lors de la Révolution française.

Une autre tendance visible à gauche, loin de vouloir abolir la religion, a plutôt cherché à s'en faire une alliée ou à investir ses institutions afin de les utiliser comme véhicules pour favoriser l'égalité ainsi que diverses réformes pour la solidarité sociale. Ce courant, assez présent en Amérique latine sous le nom de « théologie de la libération », a aussi eu un moment fort au Québec dans la foulée des réformes des années 1960. Plusieurs membres du clergé québécois inspirés par le catholicisme personnaliste ont ainsi influencé diverses réformes du système d'éducation, comme cela a été le cas de Pierre Angers[12]. De nombreux travaux ont souligné l'apport influent de catholiques progressistes dans les réformes institutionnelles des années 1940 à 1970[13].

Ces deux branches de la gauche, qui divergent au sujet de la religion, se sont offert une vive concurrence dans le renouveau des débats entourant la laïcité au Québec au XXIe siècle. Cette division de la gauche québécoise était parfaitement visible, en l'occurrence, dans les textes du journal syndicaliste et parfois socialiste *L'aut'journal*, qui a même servi de vivier argumentatif aux défenseurs de la charte des valeurs. Pourtant, aussi loin à gauche, la formation politique Québec solidaire s'est portée fermement à la défense du droit de porter le voile tel que le permettent les principes de la laïcité ouverte. Les groupes féministes se sont déchirés à leur tour au sujet de la

---

12. Bédard, Éric (2010). « Les origines personnalistes du "renouveau pédagogique". Pierre Angers s.j. et *L'activité éducative* », dans Marc Chevrier (dir.), *Par-delà l'école-machine*, Québec : MultiMondes, p. 135-171.

13. Piché, Lucie (2003). *Femmes et changement social au Québec : l'apport de la Jeunesse ouvrière catholique (1931-1966)*. Québec : Presses de l'Université Laval, 349 pages. Collin, Jean-Pierre (1996). *La Ligue ouvrière catholique canadienne, 1938-1954*. Montréal : Boréal, 253 pages. Bienvenue, Louise (2003). *Quand la jeunesse entre en scène : l'action catholique avant la Révolution tranquille*. Montréal : Boréal, 291 pages. Gauvreau, Michael (2008). *The Catholic Origins of Quebec's Quiet Revolution, 1931-1970*. Montréal et Kingston : McGill-Queen's University Press, 501 pages. Meunier, E.-Martin et Jean-Philippe Warren (2002). *Sortir de la grande noirceur : l'horizon personnaliste de la Révolution tranquille*. Sillery : Septentrion, 207 pages.

forme que doit prendre la laïcité, la Fédération des femmes du Québec a soutenu la formule de la laïcité ouverte, alors que le Conseil du statut de la femme s'est prononcé contre[14]. Il semble que les principes avec lesquels il faudrait construire la laïcité constituent un thème de plus qui s'ajoute à la liste de ce qui divise désormais les féministes partout dans le monde, comme c'était déjà le cas de la prostitution et de la religion. Nous verrons, dans les chapitres suivants, que la discussion a suffisamment levé dans cet univers pour qu'on puisse affirmer qu'une épaisseur importante du feuilleté de la controverse sur la laïcité a été le produit de débats internes aux féministes québécoises.

Les groupes de droite ont été divisés eux aussi sur la question du port des symboles religieux dans la fonction publique. D'abord, il est vrai que les voix s'étant opposées au retrait du crucifix à l'Assemblée nationale peuvent être qualifiées de conservatrices, et donc de droite d'un point de vue patrimonial, car elles s'opposent à une réforme en exigeant le maintien du *statu quo* à l'égard de cet objet. Or, il se trouve que ces mêmes voix se sont prononcées en faveur d'un code vestimentaire strict dans la fonction publique qui interdirait d'afficher des signes religieux ostentatoires et que cela est entré en collision frontale avec d'autres groupes de droite présents au Québec. Ainsi, des croyants pratiquants issus des minorités culturelles[15] et de la majorité catholique[16], donc attachés aux valeurs traditionnelles, se sont opposés radicalement à ce genre de code vestimentaire. Ces derniers peinaient à imaginer un espace public et institutionnel qui opérerait une complète séparation entre la religion et l'État en forçant certains individus à camoufler leur foi dans l'exercice de leur fonction.

---

14. Leduc, Louise. «Le Conseil du statut de la femme réclame la laïcité totale de l'État», *La Presse*, 28 mars 2011. Après quelques discussions internes, l'organisme a confirmé sa position trois ans plus tard lors du débat sur le projet de loi 60, «Le Conseil du statut de la femme se range dans le camp pro-charte», *Le Devoir*, 25 janvier 2014.

15. «La charte des valeurs, entre division et inclusion. Juifs, sikhs et musulmans à l'unisson contre la Charte», Radio-Canada.ca, 29 septembre 2013. http://ici.radio-canada.ca/nouvelles/societe/2013/09/29/003-manifestation-contre-charte-valeurs.shtml (consulté le 2 octobre 2013).

16. Plante, Louise. «Les évêques ont des réserves sur la charte des valeurs», *Le Nouvelliste*, 19 septembre 2013.

On a concrètement pu voir la réunion de pratiquants de plusieurs religions, qu'ils soient musulmans, juifs ou chrétiens, s'opposer à la charte des valeurs définie dans le projet de loi 60. Ainsi, le camp de la droite anti-charte a rassemblé soixante-dix femmes prêtres, révérendes, rabbins et musulmanes, qui se sont exprimées dans une lettre publique[17]. De plus, une manifestation anti-charte regroupant juifs et chrétiens a eu lieu[18], sans oublier que l'Assemblée des évêques catholiques du Québec[19] ainsi que la Revue de résistance conservatrice *Égards*[20] se sont aussi prononcées contre la charte des valeurs du Parti québécois.

Cette incompatibilité des conservateurs nationalistes avec plusieurs groupes de croyants pratiquants, en ce qui a trait aux symboles religieux, montre une autre limite de la catégorisation gauche-droite pour faire ressortir ce qui sépare les groupes au sujet du modèle de laïcité que doit adopter le Québec.

Figure 2.2

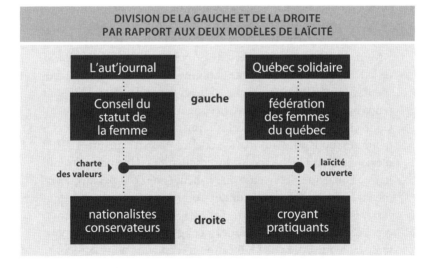

---

17. Collectif, «Charte de la laïcité, un triste recul», *La Presse*, 8 novembre 2013.

18. Texier, Fanny. «Des juifs et des chrétiens de Côte-Saint-Luc se révoltent contre la Charte», *Le HuffingtonPost Québec*, 2 décembre 2013, mis à jour le 2 février 2014. http://quebec.huffingtonpost.ca/2013/12/03/charte-juifs-chretiens-cote-saint-luc_n_4375141.html (consulté le 2 février 2014).

19. Ricard-Châtelain, Baptiste. «Une charte inutile, disent les évêques», *Le Soleil*, 19 septembre 2013.

20. Renaud, Jean (2013). «Les deux laïcismes: au sujet de la Charte des valeurs québécoises». *Égards*, vol. 11, n° 41, p. 33-46.

Cette dispersion de la gauche, de la droite, des fédéralistes et des souverainistes forçant une réorganisation de l'univers intellectuel vers de nouveaux pôles montre que le débat sur la laïcité n'a jamais été épuisé et qu'aucune version particulière n'a réussi à s'installer pour devenir une valeur foncière dans la classe politique. En effet, l'enjeu de la laïcité a vécu une sorte d'hibernation depuis les années 1960 et 1970. Même si le rapport Proulx a soulevé la question à la fin des années 1990, il faut souligner que le dernier bouillonnement majeur entourant la laïcité remonte à l'époque du rapport Parent. On pouvait, entre autres, lire de nombreuses interventions dans les revues *Cité libre*[21], *Liberté*, *Parti pris* et *Maintenant*[22]. Lors de cette période, des groupes comme *Parti pris* et le Mouvement laïque de langue française (MLF)[23] ont intégré la laïcité à leurs programmes. Néanmoins, ces deux groupes considéraient la laïcité comme étant surtout l'aboutissement de la séparation de l'Église et de l'État sur le plan institutionnel. Par exemple, la critique de Pierre Maheu est explicite au sujet des luttes que menait la revue *Parti pris* en 1965 :

> Et puis, parlons-en donc de la laïcité de l'État, pendant que nous y sommes. Bien sûr, au niveau de principes, de la constitution et de la Déclaration des droits de l'homme, elle est admise explicitement. Mais la loi prévoit que «les registres de l'état civil sont tenus par les curés, vicaires, prêtres ou ministres […]» (art. 44 du Code civil). De même, seuls les ministres du culte des diverses dénominations sont autorisés à célébrer le mariage (art. 129). Il n'existe pas au Québec de loi sur les divorces. Une personne qui ignore l'obligation religieuse du serment et ne croit pas aux châtiments éternels n'est pas reconnue comme un témoin compétent (art. 314 et 324 du Code civil). Toute la législation sur l'éducation repose sur les privilèges accordés aux Églises catholique et protestante, et le ministère de l'Éducation n'existe que pour faire fonctionner des écoles confessionnelles. La dîme et les cotisations

---

21. Lire à ce sujet la position de Charles Taylor, qui était déjà très similaire à la laïcité ouverte en 1963. Taylor, Charles (1963). «L'État et la laïcité». *Cité libre*, vol. 14, n° 54, p.3-6.

22. Roy, Martin (2012). *Une réforme dans la fidélité. La revue* Maintenant *(1962-1974) et la «mise à jour» du catholicisme québécois*. Québec: Presses de l'Université Laval, 334 pages.

23. Tessier, Nicolas (2008). *Le Mouvement laïque de langue française: laïcité et identité québécoise dans les années 1960*. Mémoire de maîtrise en histoire, Université du Québec à Montréal, 130 pages.

CHAPITRE 2 · 47

pour la construction et la réparation d'églises, de presbytères et de cimetières catholiques constituent des créances privilégiées. [...] Les membres du clergé sont exempts du *capias*, procédure qui permet en certains cas l'arrestation d'un débiteur, ils sont aussi exempts de la fonction de juré et, durant les deux guerres mondiales, ils l'ont été du service militaire[24].

Considérant qu'elle concernait surtout la dimension institutionnelle et légale, on note dans cette intervention une critique orientée sur les principes de la loi française de 1905, qui ordonnait une séparation administrative et politique claire entre les Églises et l'État. Néanmoins, on observe un silence notable dans les mots de Pierre Maheu et dans les autres interventions de *Parti pris* et du MLF concernant la question de la liberté de porter des symboles religieux chez les employés de l'État[25], surtout au sujet du voile. C'est donc par la croissance de la présence du voile musulman liée à l'augmentation démographique des citoyens de cette religion au Québec et par les effets d'un contexte post-11-septembre que le débat sur la laïcité s'est rouvert en étant investi de nouveaux arguments. Cela permet de saisir que le débat sur la laïcité n'est pas une répétition de ce qui s'est produit dans les années 1960, mais qu'il s'agit d'un nouveau débat centré sur la relation entre un État qui se veut laïque et l'image de ceux qui rendent un service public. En résumé, le nouveau débat sur la laïcité qui s'est déroulé depuis 2006 se délimite avant tout autour d'une politique des vêtements et des objets.

2.3 LAÏCITÉ QUÉBÉCOISE, COLLISION À TROIS

Avant même d'entendre les arguments de toutes les voix qui s'expriment sur la forme que doit prendre la laïcité d'un État, on peut présumer qu'il y aura inévitablement trois camps qui s'opposeront dans toutes les sociétés démocratiques. Il y aura d'abord les tenants d'une laïcité favorables aux manifestations religieuses (par des symboles et des pratiques), qui feront face à ceux qui leur seront

---

24. Maheu, Pierre (1965). « Les fidèles, les mécréants et les autres ». *Parti pris*, vol. 2, n° 8, p. 29.

25. Roy, Martin (2014). « Le programme laïciste de la revue de gauche *Parti pris* (1963-1968) ». *Bulletin d'histoire politique,* vol. 22, n° 3, p. 205-228.

défavorables. Un dernier groupe suivra et se caractérisera par une résistance à l'étendue de l'application de la laïcité au nom de l'héritage religieux de la population. Ceux qui la préconisent évoqueront l'enjeu du patrimoine et la dimension culturelle de la religion pour s'opposer aux lois qui cherchent à la dissocier davantage de l'État, même du point de vue symbolique.

Ce qui s'est produit au Québec épouse assez bien cette hypothèse. Depuis le dépôt du rapport de la commission Bouchard-Taylor le 23 mai 2008, il est devenu possible de délimiter clairement les frontières des trois univers de pensée qui ont joué du coude pour définir l'avenir de notre destin collectif en Amérique du Nord en matière de laïcité. En résumé, c'est à partir de la réponse à deux questions qu'on peut détecter les grands traits de ces trois familles de pensée qui existent en concurrence au Québec depuis 2006. Ces deux questions renvoient à légitimité de la présence du crucifix derrière le siège du président de l'Assemblée nationale et au droit de porter des symboles ostentatoires pour les employés de l'État.

Tableau 2.1

LES POSITIONS DES FAMILLES DE PENSÉE PAR RAPPORT AUX SYMBOLES RELIGIEUX			
	Famille 1	**Famille 2**	**Famille 3**
Symboles ostentatoires	Généralement pour*	Contre	Contre
Présence du crucifix à l'Assemblée nationale	Contre	Pour	Contre
* à l'exception des employés de l'État exerçant une fonction d'autorité	**Laïcité ouverte** (rapport Bouchard-Taylor)	**Catho-laïcité** (charte des valeurs)	**Laïcité intégrale**

Ainsi, en lisant les interventions liées à la laïcité du Québec, trois postures ressortent et mettent en lumière des signatures intellectuelles distinctes, comme le précise le **tableau 2.1**. Pour résumer, la principale difficulté qui se présente pour réunir les penseurs en groupe repose sur le fait que ceux qui s'opposent au port des symboles ostentatoires chez les employés de l'État ne s'entendent pas sur la présence du crucifix et ceux qui s'entendent pour le retirer ne s'entendent pas sur la question du code vestimentaire de ceux qui sont payés par l'État. Ainsi, c'est en étudiant l'argumentation qui soutient ces différentes paires qu'il devient possible de remonter à trois philosophies politiques partagées par les auteurs qui ont donné vie à la controverse.

2.4 NOMMER LES FAMILLES DE PENSÉE

Cette difficulté de regrouper les voix dans des catégories bien distinctes a été détectée par plusieurs observateurs qui ont tenté de leur attribuer des noms. Analysant les groupes critiques de la commission Bouchard-Taylor, Daniel Weinstock a peiné à trouver un nom commun pour regrouper ce qu'il voyait comme alliance entre des progressistes, des conservateurs et des nationalistes civiques. Ces derniers, fortement inspirés par la commission Stasi, qui a mené à l'interdiction du port de symboles religieux ostensibles dans les écoles publiques françaises, souhaitaient «une importation des principes et des pratiques de la laïcité française en sol québécois[26]». Les progressistes, intéressés par le sort des femmes et craignant l'islamisme radical, ont également fait preuve de fermeture, dit-il, envers les revendications pouvant menacer l'égalité entre les sexes. Les conservateurs, quant à eux, que Weinstock présente comme une frange de la population hostile à la transformation identitaire du Québec formant un groupe «historiquement plus enraciné» se considérant comme doté de prérogatives, ont rejeté en bloc les demandes d'accommodements, lesquelles étaient vues comme des procédés employés par les minorités culturelles pour ne pas s'intégrer et pour maintenir des «traits de leur culture d'origine».

Les auteurs du rapport Bouchard-Taylor ont aussi constaté une alliance entre divers ensembles philosophiques contre les principes défendus par la Commission elle-même:

> Ainsi, dans l'opposition aux demandes d'ajustement pour motifs religieux, on a vu à quelques occasions des laïcistes durs et des

---

26. Weinstock, Daniel (2007). «La "crise" des accommodements raisonnables au Québec: hypothèses explicatives». *Éthique publique*, vol. 9, n° 1, p. 22.

catholiques conservateurs emprunter le même langage. Ailleurs, on a vu parfois l'hostilité envers l'étranger se draper dans la vertu des valeurs libérales (l'égalité hommes-femmes, la protection de l'espace civique). Dans la critique du multiculturalisme, on a vu des militants de centre gauche mêler leurs voix à celles de nationalistes de droite. La dénonciation du foulard islamique a elle aussi trouvé écho parmi diverses allégeances : celle de certains courants féministes, celle de l'égalitarisme républicain et – nous en avons entendu certaines expressions – celle de l'intolérance[27].

Stéphane Courtois a aussi tenté de catégoriser les groupes, favorables et critiques, qui sont intervenus au sujet du rapport de la commission Bouchard-Taylor. Il a également noté une ligne de fracture entre les critiques du document final. Il établit une distinction entre deux types de républicanisme : les républicains communautariens et les républicains civiques. Remontant à la Grèce antique, ces deux branches se partagent une conception politique similaire qui repose sur la définition étymologique de la république (du latin *res publica*), c'est-à-dire la *chose publique*. Cette conception politique fait de la volonté du peuple le socle des décisions qui doivent définir le cours historique des choses :

> Une bonne partie de la population québécoise et bon nombre d'intellectuels québécois estiment que le modèle d'intégration collective devrait s'aligner sur un modèle républicain, selon lequel la norme d'intégration collective est fixée par le peuple et par les décisions démocratiques majoritaires dans lesquelles s'exprime sa volonté[28].

Chez les communautariens, la république doit s'asseoir sur la communauté historique qui lui préexiste. Cet emboîtement est d'ailleurs ce qui légitime l'existence de l'État aux yeux de ce groupe. C'est donc sur une communauté de valeurs, de langue, de religion, de culture et de traditions que s'érige une société de droit à la suite de nombreuses décisions politiques situées dans le temps. Ainsi

---

27. *Fonder l'avenir*, p. 187.

28. Courtois, Stéphane (2010). « Le Québec face au pluralisme : un plaidoyer pour l'interculturalisme ». *Argument*, vol. 13, n° 1, p. 103.

raisonnent les communautariens : si l'État et les lois sont le résultat historique des choix d'un peuple, ce peuple peut légitimement revendiquer la prérogative d'orienter les politiques qui façonneront l'identité de la république dans l'avenir.

Toujours selon Stéphane Courtois, du côté du républicanisme civique, c'est la défense de valeurs considérées comme universelles qui constitue les fondements de cette tradition intellectuelle. Ces principes ne visent pas à défendre les valeurs de la majorité ou du groupe qui aurait « fondé » la nation ni celles des minorités. Refusant tout traitement particulier, comme l'accommodement raisonnable et la discrimination positive, cette autre famille républicaine estime que ces approches différenciées contredisent les fins recherchées par l'universalisme républicain inspiré de la période des Lumières, c'est-à-dire l'égalité et la liberté.

Stéphane Courtois oppose ces deux conceptions républicaines à un autre groupe composé des intellectuels qui ont soutenu le rapport Bouchard-Taylor : les penseurs libéraux. Ces derniers défendent une conception de la laïcité différente des républicains civiques. Ne voyant pas la séparation de la religion et de l'État comme une fin en soi, mais comme un moyen pour « protéger les droits et libertés des citoyens[29] », Courtois considère que cette conception libérale de la laïcité concède une plus grande liberté religieuse et mise davantage sur le respect des différences.

Ce sont les catégories de Stéphane Courtois (républicains civiques, communautariens et penseurs libéraux) qui sont les mieux adaptées pour désigner les nébuleuses intellectuelles qui sont entrées en collision lors de la controverse sur la laïcité entre 2006 et 2014. Parce que les groupes de gauche, de droite, les souverainistes et les fédéralistes ont été divisés au sujet des conclusions du rapport final de la Commission et sur la charte des valeurs du Parti québécois, la division des discours en une triade évite l'aplatissement de la complexité de la controverse sur l'axe unidimensionnel gauche-droite (ou souverainiste-fédéraliste). Cela permet ainsi de réunir plus facilement les valeurs fondamentales,

---

29. *Ibid.*, p. 111.

les filiations intellectuelles, les principaux axes critiques, les schémas argumentatifs dominants et même les utopies exprimées dans une multitude de discours.

Néanmoins, malgré la pertinence des catégories de Stéphane Courtois, un synonyme peut convenablement remplacer le terme retenu par ce dernier concernant le groupe des communautariens. À la lecture du **chapitre 4**, qui décrira en détail cette famille de pensée, il sera évident que les termes *communautariens* et *conservateurs* pourraient être facilement interchangeables. Défini dans un sens non polémique, le conservatisme peut être décrit comme une volonté de maintenir un lien avec le passé, sans que celui-ci soit tout-puissant. Cette ambition de préserver une continuité entre la communauté d'aujourd'hui et celle d'hier représente la définition la plus englobante du conservatisme. Comme l'écrit Jacques Beauchemin[30], cela permet de dépasser la connotation péjorative de la chose et fait en sorte que davantage de gens, au Québec, acceptent de se reconnaître dans cette identité. Le choix du terme *conservateur* pour remplacer celui de *communautarien* a aussi l'avantage d'être plus répandu, car, en dehors de la communauté des sciences sociales, le terme *communautarien* demeure inconnu, sinon il porte à confusion avec celui de *communautarisme,* qui représente un concept notablement différent[31].

Ces trois catégories sont d'autant plus pertinentes qu'elles répondent aux questions les plus anciennes de la philosophie politique, c'est-à-dire : *qui décide en politique* et *au nom de quoi* ? C'est en effet à partir des réponses à ces questions que l'on peut identifier le

---

30. « Le conservateur est alors celui qui prend position en faveur de la constitution d'un monde commun, d'une société, autour d'une représentation partagée des fins de la communauté politique et du sujet procédant de l'histoire et de la culture toujours singulière qu'il incarne. » Beauchemin, Jacques (2012). « Le conservatisme à la défense du monde commun ». *Argument*, vol. 14, n° 1, p. 12.

31. Selon Walzer (1990), la pensée communautarienne exprime la volonté qu'il y ait adéquation entre communauté politique et communauté morale. Cela implique que les citoyens fassent plus que simplement respecter les lois, mais qu'il soit nécessaire pour eux de partager un sens commun reposant sur des valeurs particulières, sur une culture, sur des sensibilités, sur une mémoire composée de repères historiques et même sur une vision semblable de l'avenir collectif. Le communautarisme, quant à lui, va dans le sens opposé. Il repose sur la juxtaposition de plusieurs communautés culturelles et identitaires pour former une communauté politique qui ne fait que les additionner toutes sans que les différents groupes identitaires soient réunis dans une communauté morale.

cœur des univers de valeurs qui se sont opposés lors de la controverse sur la laïcité. Pour les républicains civiques, c'est la majorité québécoise qui détient la légitimité de définir un cadre au service des valeurs politiques universelles. Pour les conservateurs, ce qui permet de trancher ces questions d'ordre public relève aussi de la volonté majoritaire, mais cela doit être fait au nom de la nation québécoise dans ce qu'elle a d'unique : sa mémoire, son histoire et sa culture. Tandis que pour la dernière famille, celle des penseurs libéraux, c'est le droit et les institutions juridiques qui doivent juger de la pertinence de ces enjeux, et cela doit être fait au nom de la diversité et se réaliser par la défense des droits individuels.

Les trois chapitres suivants serviront à analyser dans le détail les justifications qui ont été utilisées pour s'opposer comme pour défendre les différents modèles de laïcité. C'est en scrutant attentivement les arguments qui ont été déployés dans la controverse qu'il a été possible ensuite de délimiter les frontières de trois constellations intellectuelles qui se sont illuminées en même temps au-dessus de la controverse sur la laïcité au Québec de 2006 à 2014.

CHAPITRE 3
Les républicains civiques :
valeurs universelles et militantisme laïque

Une famille de pensée ressemble à une équipe. Lors de divers débats, ceux qui la composent se partagent des arguments et se relaient ainsi les grandes lignes d'une même critique. Tissant des liens d'idées et de valeurs, ces nombreuses voix laissent entrevoir qu'elles forment une constellation intellectuelle qui s'illumine au passage d'enjeux particuliers.

En observant les points de conflits idéologiques survenus lors des échanges entourant la controverse sur la laïcité, il est possible de réunir un ensemble de critiques dans une première famille de pensée : celle des civiques. Les discours qui sont réunis dans ce chapitre sont marqués en premier lieu par un rejet ferme de la laïcité ouverte (**section 3.1**). Cette fermeture à l'égard de ce modèle de laïcité s'explique par une lecture qui considère que la laïcité n'est pas achevée au Québec. Cela se traduit par la demande d'introduction d'une charte de la laïcité qui officialiserait les limites de la liberté religieuse en matière d'accommodements raisonnables et de symboles vestimentaires (**section 3.2**). La conception de la laïcité qu'ils mettent de l'avant se présente comme la cousine du modèle républicain français, considéré comme authentique et même parent de l'idée de laïcité. Les auteurs de cette famille de pensée affichent un attachement évident à la liberté de conscience telle que conçue dans une perspective scientifique, séculière et héritière de la période des Lumières (**section 3.3**).

Quoique le Parti québécois ait proposé une charte des valeurs allant dans ce sens en 2013, les républicains civiques sont restés amers face à un tel projet, le jugeant insuffisant, et ils ont exigé que le crucifix soit retiré du Salon bleu de l'Assemblée nationale (**section 3.4**). Pour les républicains civiques, l'expression du religieux doit être modérée par l'intériorisation d'une culture civique qui permet aux citoyens de faire primer une culture commune menacée par les tendances *communautarisantes* des religions (**section 3.5**). En ce sens, on note une opposition inflexible à la négociation ou au compromis, tels que le sont les accommodements raisonnables, car cela perfore la cloison qui doit nécessairement séparer l'Église de l'État (**section 3.6**). Ceci se traduit par un rejet ferme de la place du voile dans les institutions et par une volonté de lutter contre le radicalisme religieux (**section 3.7**). Finalement, l'ouverture aux revendications religieuses défendue dans le rapport Bouchard-Taylor a mené à un braquage féroce d'une quantité importante de féministes de déclinaisons non libérales. Ces dernières ont sonné l'alerte dans le but d'appeler à la défense de l'égalité des sexes, qu'elles jugeaient menacée par certaines positions avancées dans le rapport en question (**section 3.8**).

3.1 REJET CATÉGORIQUE DE LA LAÏCITÉ OUVERTE

Les nombreuses voix qui composent la nébuleuse républicaine civique s'expriment à l'unisson contre la conception de la laïcité défendue dans le rapport Bouchard-Taylor. Pour le rappeler, accueillant le principe d'accommodement raisonnable, la laïcité ouverte accepte certains traitements différenciés à l'égard des manifestations religieuses dans l'espace public et dans les institutions, comme l'érouv[1], et

---

1. Juin 2001, jugement de la Cour supérieure du Québec autorisant l'installation d'érouvs dans Outremont. Il s'agit d'un fil métallique installé à quelques mètres en hauteur. Il agrandit symboliquement l'espace dans lequel sont permises certaines activités normalement interdites pour les Juifs orthodoxes lors du shabbat et de certaines fêtes juives. Le jugement se lit comme ceci : « 25. On lui demande de tolérer des lignes ou des fils à peine visibles qui traversent les rues de la ville, et de ne pas les enlever une fois qu'ils ont été dressés. Ce faisant, on ne lui demande pas de s'associer au judaïsme orthodoxe plus, ou moins, qu'elle s'associe au christianisme en autorisant l'étalage de décorations de Noël sur la propriété municipale, y compris l'hôtel de ville, ou quand, le dimanche matin, elle tolère la mise en branle des cloches d'église pour convoquer les chrétiens au culte. » Le jugement : Rosenberg et al. c. Outremont (Ville d'), [2001] R.J.Q. 1556, AZ-50087285 (Soquij).

n'impose pas une neutralité vestimentaire totale à tous les représentants de l'État. Ce modèle de laïcité repose sur une asymétrie qui consiste à interdire d'afficher des signes religieux chez les représentants de l'État en position d'autorité (juges, policiers, procureurs de la Couronne, gardiens de prison), mais à le permettre pour d'autres groupes (enseignants, infirmières, élus).

Guy Rocher considère que l'aménagement de la laïcité du rapport Bouchard-Taylor entraîne des « discriminations et des incohérences ». De prime abord, il s'y oppose pour des raisons techniques et éthiques. Il trouve

> […] inquiétante la distinction que l'on propose de faire, à l'intérieur de la fonction publique, entre des fonctionnaires qui sont en contact avec le public et ceux qui ne le sont pas. Rien ne serait plus néfaste que de créer deux classes de fonctionnaires. Rien ne serait plus contraire à la justice que d'imposer à ceux qui veulent afficher leurs convictions d'être astreints définitivement à certains postes. Sans parler des complications administratives que l'on engendrera pour les responsables de la bonne gestion des ressources humaines de la fonction publique[2].

Pour ce ténor des voix républicaines civiques, la laïcité ouverte fait preuve d'une rupture avec la continuité issue de la Révolution tranquille et du rapport Parent, qui avait enclenché la déconfessionnalisation des institutions québécoises. Il parle même d'un « recul historique » dû aux accommodements religieux non rejetés par le rapport Bouchard-Taylor et parce que la laïcité ouverte en consacre le cadre : « Les institutions publiques, et notamment l'école publique, sont en train, dit-il, de se re-confessionnaliser par la présence acceptée et même officiellement reconnue de signes visibles d'appartenance à une religion chez les enseignants[3]. »

Pour ce dernier, il n'y a pas de compromis à faire quant à l'image de neutralité de l'État en matière religieuse et pour tout ce qui le

---

2. Rocher, Guy (2011). « La laïcité de l'État et des institutions publiques ». Dans *Le Québec en quête de laïcité*. Baillargeon, Normand et Jean-Marc Piotte (dir.), Montréal : Écosociété, p. 28.

3. *Ibid.*, p. 30-31.

représente : employés[4], biens et immeubles. Toutes ces entités doivent être neutres parce qu'elles représentent un État qui se doit de l'être. Cette neutralité est constituée d'un « devoir de réserve, de discrétion, concernant leurs convictions religieuses tout autant que politiques[5] ».

Pour Caroline Beauchamp, la laïcité ouverte sert de cadre légal à la mise sur pied d'un marché des religions qui s'installerait dans l'espace public et dans les institutions. Selon sa conception, il faut non seulement séparer le religieux de l'État, mais aussi protéger les citoyens contre le prosélytisme qui peut s'y implanter faute d'en être interdit. Selon cette juriste en droit constitutionnel, cette configuration politique des manifestations religieuses fait en sorte que : « La guerre des signes est commencée : elle se déroule sur le terrain de l'État et sous son œil paternaliste[6]. »

En somme, toutes les voix qui constituent la gamme des républicains civiques s'alignent sur un même front contre la laïcité ouverte. La jonction du premier terme avec le qualificatif « ouvert » contrevient à l'esprit d'une « réelle » laïcité, car l'adjectif en question ne sert, selon eux, qu'à faire des compromis antilaïques, quand ils n'y voient pas des compromissions. La Déclaration des Intellectuels pour la laïcité (IPL)[7], signée le 16 mars 2010, regroupe la plupart des voix du champ républicain civique opposées à la laïcité ouverte défendue, entre autres, par le Parti libéral du Québec (PLQ), Québec solidaire (QS), la Fédération des femmes du Québec (FFQ) et les signataires du *Manifeste pour un Québec pluraliste*[8]. Dans la Déclaration des

---

4. En réaction au rapport Bouchard-Taylor, le Conseil du statut de la femme (CSF) a adopté une position très similaire à celle défendue par plusieurs penseurs républicains civiques : « À notre avis, tous les agents de l'État en relation avec le public devraient s'abstenir de porter des signes religieux ostentatoires afin de véhiculer la neutralité de l'État. » À lire dans « Réaction du Conseil du statut de la femme au rapport de la commission Bouchard-Taylor : l'égalité entre les femmes et les hommes mise entre parenthèses », communiqué de presse du CSF, 23 mai 2008.

5. Rocher, Guy (2011). *Op. cit.*, p. 30.

6. Beauchamp, Caroline (2011). *Pour un Québec laïque*. Québec : Presses de l'Université Laval, p. 121-122

7. « Déclaration des Intellectuels pour la laïcité – Pour un Québec laïque et pluraliste », *Le Devoir*, 16 mars 2010.

8. *Le Devoir*, 3 février 2010.

IPL, on peut lire que la laïcité ouverte est au mieux «un mode de gestion au cas par cas de la liberté de religion dans la sphère publique, favorisant l'arbitraire, [et que] ce n'est certainement pas une théorie de la laïcité de l'État». Cette politique consacre même officiellement, lit-on, une perte de contrôle sur la question de l'harmonisation des rapports religieux, car cela peut «conduire à une surenchère d'expression de convictions qui n'est certes pas souhaitable dans la sphère publique». Cela «laisse les gestionnaires des institutions publiques dans une perpétuelle incertitude[9]» et encourage, selon eux, un recours constant aux tribunaux et à la Commission des droits de la personne et des droits de la jeunesse.

L'appel est unanime chez les républicains civiques: c'est d'une laïcité «tout court» que le Québec a besoin, c'est-à-dire un modèle plus proche de certaines caractéristiques de la laïcité française[10]. Elle doit s'appliquer intégralement, «sans distinction à tous les signes religieux de toutes les religions[11]». Aucune exception ne peut donc être faite, que ce soit pour les symboles des minorités ou de la majorité. Ceci implique, entre autres, le retrait du crucifix au-dessus du siège du président de l'Assemblée nationale et la fin des prières lors des conseils municipaux. Pierre Joncas en parle comme d'une «priorité absolue[12]», tout comme Jean-Marc Piotte, pour qui le retrait du crucifix du Salon bleu est prioritaire, car c'est à la majorité de donner l'exemple à suivre aux minorités et individus récalcitrants au principe de neutralité de l'État[13].

Daniel Baril, considérant la laïcité ouverte comme une laïcité «chimérique» ou comme une «coquille vide», ajoute que cette conception procède à une inversion du rapport entre l'État et les

---

9. Rocher, Guy (2011). *Op. cit.*, p. 29.

10. Lire à ce sujet un texte écrit par Daniel Baril en réponse au rapport Bouchard-Taylor: «Et si on optait pour la laïcité républicaine?», *À bâbord!*, n° 32, décembre 2009/janvier 2010. www.ababord.org/spip.php?article972 (consulté le 10 février 2012).

11. Poisson, Marie-Michèle (2010). «Récupération identitaire et fixation sur le voile. Deux attitudes fausses à l'égard de la laïcité». *Cité laïque*, n° 17, p. 9.

12. Joncas, Pierre (2009). *Les accommodements raisonnables: entre Hérouxville et Outremont: la liberté de religion dans un État de droit.* Québec: Presses de l'Université Laval, p. 90.

13. Piotte, Jean-Marc (2011). «Le voile et le crucifix». Dans *Le Québec en quête de laïcité*, p. 78.

religions propre à la modernité[14]. Selon lui, contrairement à la période qui précédait, c'est maintenant aux religions de s'adapter en conséquence des lois de l'État. L'ascendant appartient maintenant au politique alors que la laïcité ouverte est «un concept antirépublicain créé par des idéologues préoccupés de limiter au maximum les contraintes qu'un État démocratique est légitimement en droit d'imposer aux religions[15]».

D'autres auteurs abondent dans un sens similaire en disant que les religions n'ont pas démontré de capacité à limiter leurs ambitions politiques lorsqu'elles logeaient seules dans les plus hautes sphères de pouvoir. Selon Yvan Lamonde, «l'histoire des religions mono-théistes indique qu'elles veulent être "seules", uniques. L'intégralisme finit en intégrisme[16]». En d'autres mots, selon cette famille de pensée, le politique doit légiférer d'abord sur l'étendue de l'espace que peuvent occuper les religions et ne pas s'attendre à ce que ces dernières adoptent par elles-mêmes les règles qui baliseront les limites de leur pouvoir dans la société.

En plus de cette critique relevant de la philosophie politique, les auteurs de l'univers républicain civique se préoccupent des effets des traitements différenciés (comme l'accommodement raisonnable) qui pourraient compromettre l'intégration de la diversité des membres à des valeurs communes. Selon Daniel Baril, ces traitements

> [...] accentuent les différences et, à l'évidence, marginalisent encore davantage ceux qui les obtiennent et qui, bien souvent, sont déjà en rupture avec leurs propres coreligionnaires. Tout accommodement religieux permettant de se soustraire à une règle commune ne peut que renforcer l'idée que la croyance religieuse est au-dessus des lois civiles laïques. [...] Ceux qui soutiennent que

---

14. Dans *Les Neuf clés de la modernité* (2007), Jean-Marc Piotte considère la privatisation de l'univers religieux comme une des caractéristiques fondamentales de la modernité. Cf. Chapitre IX : « La religion, affaire privée », p. 193-212.

15. Baril, Daniel (2011). « La laïcité sera laïque ou ne sera pas ». Dans *Le Québec en quête de laïcité*, p. 54.

16. Lamonde, Yvan (2010). *L'Heure de vérité : la laïcité québécoise à l'épreuve de l'histoire*. Montréal : Del Busso, p. 180.

les accommodements religieux facilitent l'intégration ne font jamais la démonstration de leur affirmation[17].

Ainsi, se demande Daniel Baril : « Est-ce que l'érouv d'Outremont a permis une meilleure intégration des hassidim ? Est-ce que le jugement sur le kirpan à l'école, porté à l'encontre d'un règlement de sécurité, a facilité l'intégration des sikhs[18] ? » On voit que, selon cet auteur qui représente bien sa famille de pensée, les traitements différenciés liés aux identités religieuses ne servent pas à mieux accomplir le devoir démocratique d'intégration de la diversité sociale à une même communauté politique fondée sur des valeurs civiques partagées.

Baril, Rocher et plusieurs autres voient plutôt la contrainte des lois comme des forces intégratrices. Pour faire société, soutiennent-ils, il est nécessaire de faire le sacrifice de certaines particularités si l'on souhaite interagir harmonieusement dans l'univers commun. La laïcité ouverte et les accommodements raisonnables, chers aux yeux des commissaires de la commission Bouchard-Taylor, deviennent, pour leurs détracteurs du champ des civiques, le moule qui permettra l'incrustation des ghettos identitaires et le morcellement du corps social en diverses parties qui s'ignoreront mutuellement[19].

En résumé, en étudiant le conflit des valeurs et les discours qui en émanent, deux importantes pièces du rapport Bouchard-Taylor ont échoué à obtenir le sceau de la légitimité des penseurs animés d'un esprit républicain civique. Elles correspondent aux rejets de la théorie de la laïcité ouverte et de sa contrepartie pratique : l'accommodement raisonnable accordé pour des motifs religieux.

---

17. Baril, Daniel (2011). « La laïcité sera laïque ou ne sera pas ». *Op. cit.*, p. 50.

18. *Ibid.*, p.49.

19. Par exemple, les propos de Daniel Baril à ce sujet : « La "laïcité ouverte" relève d'une vision strictement individualiste de la société et des droits qui, si elle servait de fondement à nos orientations législatives, conduirait au morcellement social et à la ghettoïsation ». Baril, Daniel (2011). *Ibid.*, p. 45.

3.2 UNE CHARTE POUR REMÉDIER À L'«INACHÈVEMENT» DE LA LAÏCITÉ AU QUÉBEC

Ce rejet catégorique de la fin et des moyens de la laïcité ouverte débouche sur une demande univoque de la part des intellectuels du champ présentement analysé : l'officialisation de la laïcité au Québec, parce qu'elle est jugée comme incomplète dans l'état actuel des choses.

Signataire de la Déclaration pour un Québec laïque et pluraliste publiée par les Intellectuels pour la laïcité (IPL), Yvan Lamonde demande que la laïcité soit affirmée au niveau suprême, ce qui signifie donc qu'il faut

> [...] constitutionnaliser ce principe pour disposer d'un référent universel et pour disposer, du coup, de l'approche conflictuelle, socialement et politiquement improductive, du cas par cas, qui repose sur une conception philosophique et juridique qui privilégie l'individu[20].

On voit ici poindre l'incompatibilité notable entre les demandes des républicains civiques et le préambule de la Constitution canadienne, qui stipule que «le Canada est fondé sur des principes qui reconnaissent la suprématie de Dieu et la primauté du droit». Même si certains reconnaissent que ce préambule n'a pas force de loi et qu'il n'est d'aucun recours dans un jugement», sa position est interprétée comme une déclaration symbolique officialisant l'identité religieuse du pays[21].

Dès 2008, beaucoup des voix républicaines civiques[22] ont appelé en conséquence à la mise sur pied d'une charte de la laïcité au

---

20. Lamonde, Yvan (2010). *L'Heure de vérité : la laïcité québécoise à l'épreuve de l'histoire. Op. cit.*, p. 193.

21. Micheline Milot souligne que ce préambule a été interprété lors d'un litige en 1992. Le juge Muldoon considérait que la référence à la suprématie de Dieu signifiait «qu'à moins que la Constitution ne soit modifiée ou tant qu'elle ne l'aura pas été, le Canada ne peut devenir un État officiellement athée» (O'Sullivan c. Ministre du Revenu national, [1992] 1 C.F. 522 (1ʳᵉ inst.), (*obiter dictum*), p. 536.), cité dans Milot, 2005, p. 23. D'autres soutiennent que ce préambule a été inséré à une fin affirmative dans un contexte de Guerre froide dans le but de se distinguer des États socialistes ou communistes athées. C'est l'avis de l'avocat Jean-Claude Hébert, «Laïcité et suprématie de Dieu», *Le Devoir*, 21 décembre 2009.

22. Voir Louise Beaudoin, «De l'urgence d'une charte de la laïcité», *Le Devoir*, 17 novembre 2009. Voir aussi Guy Rocher, «L'État québécois a besoin d'une charte de la laïcité, et non d'une laïcité "ouverte" à la Bouchard-Taylor», *Cité laïque*, nᵒ 16, p. 13. Voir aussi du côté féministe : Élaine Audet, Micheline Carrier et Diane Guilbault, «Pour une Charte de la laïcité au Québec», *La Presse*, 21 mai 2009.

Québec qui reprendrait les grands axes critiques réservés à la laïcité ouverte et aux accommodements raisonnables religieux. Plusieurs chartes ont été proposées, comme celle du Collectif citoyen pour l'égalité et la laïcité (CCIEL)[23] et celle du Mouvement laïque québécois (MLQ). La dernière de ces deux chartes met l'accent sur trois éléments :

— La liberté de manifestation publique de ses opinions et croyances doit être assortie de limites propres au respect du pluralisme religieux, à la protection des droits et libertés d'autrui, aux impératifs de l'ordre public et au maintien de la paix civile.

— Tout agent public et tout collaborateur du service public ont un devoir de stricte neutralité (et d'apparence de neutralité) religieuse et politique (au sens partisan de ce mot).

— Il est interdit aux tribunaux de tenir compte des croyances et convictions intimes des personnes pour moduler un jugement ou une sentence relatifs à leurs actes ou encore pour leur accorder ou leur retirer quelque droit ou avantage[24].

Pour résumer, afin de mettre un terme au flou symbolique sur l'identité québécoise à l'égard de la laïcité, une loi québécoise est exigée chez les civiques pour clarifier le régime politique laïque du Québec aux yeux des immigrants qui pourraient être confondus par les messages contradictoires de la laïcité ouverte, du préambule de la Constitution et des accommodements raisonnables fondés sur la religion, dont certains ont été consacrés par la Cour suprême du Canada contre certains avis de la Cour supérieure du Québec[25]. Par ses termes qui exigent un code vestimentaire non religieux aux employés de l'État, par sa volonté de refuser de considérer des éléments religieux dans des jugements ainsi que par son ambition de modérer l'expression religieuse au nom de l'ordre public, on voit toute la compatibilité de la proposition de charte du MLQ avec la

---

23. Accessible sur le site féministe *sysiphe.org* : http://sisyphe.org/spip.php?article3392 (texte mis en ligne le 26 septembre 2009) et dans le *Mémoire du collectif citoyen pour l'égalité et la laïcité* (p. 13) déposé en mai 2010 lors de la commission parlementaire portant sur le projet de loi 94.

24. «Le MLQ réclame une charte de la laïcité», accessible sur le site *vigile.net* : www.vigile.net/Le-MLQ-reclame-une-charte-de-la (consulté le 18 avril 2011).

25. C'est le cas du kirpan. Voir le jugement : Multani c. Commission scolaire Marguerite-Bourgeoys, [2006] 1 R.C.S. 256, 2006.

charte de la laïcité du projet de loi 60 débattu en 2013 et 2014. Étant donné ce qui les unit, on peut en effet considérer la charte de la laïcité du ministre Drainville comme la réponse politique des opposants à la laïcité ouverte et aux recommandations du rapport Bouchard-Taylor.

Selon Pierre Joncas, l'avenue d'une charte est nécessaire pour que cesse la judiciarisation des rapports intercommunautaires ainsi que l'instrumentalisation du droit qui l'accompagne :

> [...] tant qu'il ne sera pas redressé, le déséquilibre des forces établi par les précédents des arrêts par la Cour suprême continuera de favoriser l'hégémonie des minorités intégristes – toutes confessions confondues – sur les majorités désarmées, les tenant à leur merci en permanence. Ensuite, ces précédents accroîtront à la fois le poids politique des sectes et l'audience dont elles jouissent sur la place publique et dans les médias ; de plus, et surtout, leurs exigences et leur intransigeance envenimeront un débat déjà surchargé d'émotions malsaines. Les tensions monteront dans les quartiers touchés, surtout ceux où les autorités céderont à des revendications farfelues, prétendument par respect de la liberté religieuse, mais en réalité par souci d'éviter des frais judiciaires, par clientélisme électoral, ou les deux à la fois[26].

L'interprétation de Pierre Joncas s'ajoute à celles qui voient l'encadrement juridico-légal canadien comme un système plus favorable que défavorable aux minorités revendicatrices. Le projet de charte québécoise de la laïcité ou de loi allant en ce sens vise ainsi à dépolitiser l'enjeu des relations entre religion, État, institutions et espace commun en empruntant la voie d'un encadrement juridique uniforme. Les républicains civiques sont nombreux à mettre en cause le multiculturalisme canadien en le présentant comme la matrice d'un appareillage technico-légal répondant à des demandes d'accommodement raisonnable religieux, lui-même assis sur une interprétation individualiste des chartes canadienne et québécoise des droits.

---

26. Joncas, Pierre (2009). *Op. cit.*, p. 105-106.

On décèle dans cette nébuleuse intellectuelle une crainte similaire aux préoccupations de certains intellectuels français concernant la montée des communautarismes[27] qui se ferait à l'encontre des valeurs républicaines censées réunir la communauté politique autour de principes universels qui s'appliquent indistinctement à tous. On peut y lire cet attachement au principe du «citoyen abstrait» porteur de droit indépendamment de sa condition, qu'elle soit historique, économique, ethnique, sexuelle, etc. Cette vision chérit l'idée des valeurs universelles et se concrétise dans le refus de reconnaître officiellement les différences en les nommant explicitement dans des textes de loi ou dans des jugements qui feront ensuite autorité. L'étude du conflit des valeurs qui fonde la dynamique de la présente controverse dévoile un deuxième point de rupture entre ce premier groupe de détracteurs et le rapport Bouchard-Taylor : la reconnaissance des particularismes religieux minoritaires et majoritaires ne doit pas servir de base pour fonder la justice ni pour assurer l'intégration de la diversité.

3.3 UNE LAÏCITÉ POUR LE QUÉBEC INSPIRÉE DE CERTAINS COURANTS POLITIQUES

La conception de la laïcité des républicains civiques n'est pas que théorique. Elle suit le trajet de certains courants politiques qui ont animé l'histoire collective. La laïcité qui est la leur peut en effet comporter une dimension anticléricale si on se limite à définir cela comme une posture d'opposition et de contestation du pouvoir politique du clergé. Cette filiation se constate par exemple chez Claude Braun[28], Yvan Lamonde[29] et Guy Rocher[30], qui soulignent la

---

27. Landfried, Julien (2007). *Contre le communautarisme.* Paris : Armand Colin, 187 pages. Sfeir, Antoine et René Andrau (2005). *Liberté, égalité, islam : la République face au communautarisme.* Paris : Tallandier, 264 pages. Miclo, François et Robert Grossmann (2002). *La République minoritaire : contre le communautarisme.* Paris : Michalon, 186 pages.

28. Voir à ce sujet un texte de Claude Braun dans un numéro consacré à un débat sur le modèle de laïcité au Québec à la suite du rapport Bouchard-Taylor, «Histoire de la libre pensée et de l'athéisme au Québec», *À bâbord!*, n° 32, décembre 2009/janvier 2010. www.ababord.org/spip.php ?article972 (consulté le 10 février 2012).

29. Lamonde, Yvan (2010). *L'Heure de vérité : la laïcité québécoise à l'épreuve de l'histoire.*

30. Cf. La «Déclaration des Intellectuels pour la laïcité – Pour un Québec laïque et pluraliste», *Le Devoir*, 16 mars 2010.

contribution politique d'intellectuels ayant combattu ou subi le pouvoir clérical au Canada.

Chez les penseurs de la nébuleuse républicaine civique, on retrouve en effet des références à des figures qui ont résisté au pouvoir de l'Église catholique ou qui ont vu leurs libertés politiques menacées en raison de leur anticonformisme, de leurs influences philosophiques ou de leurs affiliations politiques. Il est question de l'imprimeur Fleury Mesplet (1734-1794) et de l'avocat Valentin Jautard (1736-1787) qui, inspirés, entre autres, par Voltaire[31], voulaient offrir au lectorat francophone du Bas-Canada l'éclairage des Lumières tout en incitant leurs concitoyens à rejoindre la Révolution américaine[32]. On remarque aussi un attachement aux patriotes d'avant l'Acte d'Union, surtout à Robert Nelson, dont la Déclaration d'indépendance, rédigée le 28 février 1838, comportait un article sur la séparation de l'Église et de l'État. Parmi les 18 articles de ce programme, on pouvait lire au quatrième point que dans une éventuelle république indépendante du Bas-Canada, « toute union entre l'Église et l'État est par la présente déclarée être dissoute, et toute personne aura le droit d'exercer librement telle religion ou croyance qui lui sera dictée par sa conscience[33] ».

Il est aussi question du journaliste Arthur Buies (1840-1901), du militant socialiste et ouvrier Albert Saint-Martin (1865-1947), de l'Institut canadien dont l'Annuaire a été mis à l'index par l'Église en 1869, de Louis-Antoine Dessaules (1818-1895), président de l'Institut canadien opposé au pouvoir clérical de son époque, de Éva Circé-Côté (1871-1949), femme irréligieuse, fondatrice de la première bibliothèque publique (donc non dirigée par des clercs) de Montréal en 1903 et fondatrice d'un lycée laïque pour filles en 1908[34]. On peut

---

31. *Lettre sur la tolérance*, 1689.

32. Par l'intermédiaire de son hebdomadaire montréalais, *La Gazette littéraire de Montréal*, active de 1778 à 1779, accessible dans une version réunie : Doyon, Nova, Jacques Cotnam et Pierre Hébert (2010). *La Gazette littéraire de Montréal 1778-1779*. Québec : Presses de l'Université Laval, 982 pages.

33. Nelson, Robert. « Déclaration d'indépendance proclamant la République du Bas-Canada », 28 février 1838.

34. Lévesque, Andrée (2010). *Éva Circé-Côté, libre-penseuse, 1871-1949*. Montréal : Éditions du Remue-Ménage, 478 pages.

aussi lire une sympathie pour Jean-Charles Harvey (1891-1967) et pour Paul-Émile Borduas (1905-1960), auteur du manifeste du *Refus global* en 1948, et pour le sort qui leur a été réservé.

En somme, cet attachement aux Lumières et au retrait du religieux dans les affaires de l'État s'accompagne d'une affection envers la sortie du duplessisme et surtout à la période de réformes qui l'a suivi. Cette hostilité au sujet de la « Grande Noirceur » précédant la Révolution tranquille est une tension évidente entre les deux familles de pensée critiques du rapport Bouchard-Taylor et de la laïcité ouverte. L'autre groupe, celui des conservateurs, fait valoir le besoin de se réconcilier avec l'héritage pré-1960 sans l'encenser nécessairement. Cette tension sera examinée dans la section 4 du chapitre 4.

L'inspiration des intellectuels du champ républicain civique se nourrit aussi d'un autre épisode de l'histoire des patriotes. Entre 1829 et 1836, à l'initiative du Parti patriote, des écoles de syndics (publiques et non confessionnelles) ont été mises sur pied. Créatures de la Chambre d'assemblée du Bas-Canada, ces écoles laïques (qu'on voulait dissocier tant du pouvoir clérical que du pouvoir britannique) comptaient 1372 établissements avant que leur financement public ne soit aboli par le Conseil législatif non élu et hostile au Parti patriote. Ceci dépassait considérablement en nombre le total des écoles de fabriques, privées et catholiques (66) et des écoles de la *Royal Institution* (22). En 1831, on comptait 1216 écoles de syndics, réunissant près de 45 000 élèves[35]. Au sein de l'argumentation des penseurs républicains civiques, cette brève expérience est présentée dans le débat sur la laïcité québécoise comme l'exemple que la laïcité peut être un projet politique défendu par la majorité, plutôt que comme le résultat d'avis de juges, de jurisprudence et de rapports d'experts.

Les discours de ce groupe, qu'on pense à Claude Braun, Yvan Lamonde, Guy Rocher, Daniel Baril, Louise Beaudoin, Danic Parenteau, Daniel Turp et bien d'autres, manifestent leur attachement à ces personnages et courants politiques, car cela leur permet

---

35. Graveline, Pierre (2003). *Une histoire de l'éducation et du syndicalisme enseignant au Québec*. Montréal : Typo, p. 35-36.

de dire que l'histoire collective a déjà porté des idéaux allant dans le sens des réformes qu'ils proposent. Il n'y aurait pas de rupture historique, mais continuité et même achèvement.

Deux interventions ont enrichi l'argumentaire critique adressé aux conclusions des commissaires. Dans leur rapport, Bouchard et Taylor présentent les revendications pour une laïcité proche du modèle français comme une réaction liée à la constante *insécurité du minoritaire* de la majorité québécoise « d'origine canadienne-française[36] ». Gilles Bourque analyse défavorablement ce choix terminologique :

> Le préjugé favorable de plusieurs Québécois francophones pour une conception républicaine de la laïcité (plus ou moins modérée ou radicale selon l'interprétation) découle-t-il de la seule insécurité d'un groupe ethnique ? Ne pourrait-on pas dire aussi que plusieurs, en défendant une telle conception de la laïcité, se réclament d'une culture politique particulière qui s'est imposée au Québec de haute lutte à partir de la Révolution tranquille ? Dans une telle perspective, la crise prendrait des dimensions politiques malheureusement éludées dans le rapport[37].

Bourque reproche en effet au document final de la Commission d'avoir ethnicisé le sujet du débat en ayant aplati la dimension politique du mécontentement des nombreux francophones favorables à une laïcité inspirée de certaines caractéristiques du modèle français. Il impute ce biais à la grille de lecture qui a vu la controverse comme un malaise plutôt qu'une affirmation. En d'autres mots, « cette

---

36. Les auteurs du rapport de la Commission justifient ainsi cette catégorie. « Nous rejetons l'expression "Québécois de souche" pour désigner les Québécois d'origine canadienne-française. Cette expression est chargée d'une connotation négative, et ce, dans deux directions opposées : a) du point de vue des Québécois d'origine autre que canadienne-française, elle paraît affirmer une sorte de hiérarchie fondée sur l'ancienneté ; b) du point de vue des Québécois d'origine canadienne-française, elle peut évoquer une figure de repli, une image un peu folklorique et frileuse dont ils souhaitent se départir. Enfin, le terme est ambigu dans la mesure où les Autochtones aussi se qualifient comme "de souche", de même que les Anglo-Québécois. En ce sens (élargi), il vaudra mieux dire "Québécois canadiens-français" (ou d'origine canadienne- française) pour éviter toute connotation hiérarchique. Nous tiendrons également compte des observations de l'Organisation des Nations Unies qui rejette l'usage de l'expression "minorité visible" à cause de sa référence biologique. » *Fonder l'avenir*, p. 202.

37. Bourque, Gilles. « L'insécurité d'un groupe ethnique » (partie 2 de 2), *Le Devoir*, 31 juillet 2008.

dépolitisation, dit-il, conduit à une analyse étroitement culturelle et encore davantage psychologique de la crise des accommodements raisonnables[38] ».

En résumé, les auteurs républicains civiques s'inscrivent en faux contre cette interprétation, voyant l'opposition à la laïcité ouverte comme une réaction sans racines politiques survenue uniquement à cause de la crise des accommodements raisonnables. Selon les commissaires, la laïcité « stricte » n'aurait donc pas été voulue pour elle-même. Simple recours technique, elle n'aurait pour fin que de faire cesser l'irritation des sensibilités historiques de la majorité québécoise « d'origine canadienne-française[39] ». Incorrect, rétorquent les intellectuels affirmant une pensée républicaine civique. Comme Danic Parenteau l'écrit, la réclamation pour une laïcité républicaine reprend des valeurs civiques présentes depuis très longtemps au Québec et ceux qui la réclament cherchent à nouer le présent débat avec cet héritage[40]. Les récriminations de la majorité francophone ne sont pas vues comme seulement émotives, il ne s'agit pas uniquement d'« une protestation du groupe ethnoculturel majoritaire soucieux de sa préservation[41] » qui ne se résorbera pas dans une « thérapie de groupe ethnique[42] ». La famille des républicains civiques, bien représentée dans ce cas-ci par l'intervention des Intellectuels pour la laïcité (IPL), refuse l'« ethnicisation » de l'analyse du rapport Bouchard-Taylor et conçoit plutôt la majorité québécoise comme une communauté nationale qui interprète cette controverse du présent, à saveur religieuse, à partir d'une trame de son histoire politique. Ces penseurs manifestent une sensibilité historique propre à la gauche des libéraux *rouges* (patriotes) et des mouvements socialistes comme le RIN et

---

38. Bourque, Gilles. « Bouchard-Taylor : un Québec ethnique et inquiet » (partie 1 de 2), *Le Devoir*, 30 juillet 2008.

39. À propos du déterrement de cette expression, Bernard Landry, dont les positions sont très compatibles avec les valeurs du champ républicain civique, a dit : « C'est horrible que de vouloir ressortir de façon anachronique un des vocables les plus inappropriés qu'on puisse imaginer. » Propos rapportés par Antoine Robitaille dans « Bernard Landry rabroué à son tour Gérard Bouchard », *Le Devoir*, 17 juin 2008.

40. Parenteau, Danic (2013). *Précis républicain à l'usage des Québécois*. Montréal : Fides, p. 11 et p. 22.

41. Rocher, Guy. « Rapport Bouchard-Taylor – Une majorité trop minoritaire ? », *Le Devoir*, 12 juin 2008.

42. Bourque, Gilles. « L'insécurité d'un groupe ethnique » (partie 2 de 2), *Le Devoir*, 31 juillet 2008.

Parti pris. Cela permet de mieux comprendre leurs appels pour une laïcité plus ferme[43] qui s'explique souvent par le mauvais souvenir de l'ère duplessiste et pré-duplessiste où les liens entre la religion et le pouvoir étaient consistants.

3.4 CONTRE LE CRUCIFIX, UN APPUI AVEC RÉSERVE À LA CHARTE DES VALEURS

Les républicains civiques, qui ont généré toute une littérature critique de la laïcité ouverte du rapport Bouchard-Taylor, se sont retrouvés à passer à l'offensive, quelques années plus tard, lors de l'introduction de la charte des valeurs du Parti québécois en 2013 et 2014. Adhérant fortement à ce projet qui souhaite limiter significativement la recevabilité et l'applicabilité des accommodements raisonnables tout en imposant un code vestimentaire areligieux pour tous les employés du secteur public, les auteurs républicains civiques ont néanmoins partagé leur déception quant à cette charte, la jugeant incomplète.

À ce sujet, comme cela a été le cas d'Yvan Lamonde[44], les Libres penseurs athées signalaient leur volonté de voir la charte des valeurs aller beaucoup plus loin que son texte d'origine, d'abord en l'intitulant *charte de la laïcité*. Ces auteurs, regroupés dans une lettre publiée dans *L'aut'journal*, s'opposaient à la position du Parti québécois concernant le crucifix dans la chambre des débats de l'Assemblée nationale. Selon eux : « La présence de ce crucifix dans la plus importante enceinte de l'État québécois est une atteinte flagrante à la laïcité, un flagrant symbole de la non-laïcité ! La Charte devrait stipuler son renvoi – dans un musée par exemple. Le laisser où il se trouve actuellement serait totalement incohérent et exposerait les auteurs du projet à des accusations d'hypocrisie[45]. »

Normand Baillargeon a poursuivi cette critique des limites de la charte des valeurs, telle que proposée dans le projet de loi 60[46],

43. Qualifiée de laïcité « pure et dure » par Lysianne Gagnon, « La laïcité pure et dure », *La Presse*, 18 mars 2010.

44. Lamonde, Yvan (2014). « De quoi la politique est-elle capable ? ». Dans *L'urgence de penser : 27 questions à la Charte*. Livernois, Jonathan et Yvon Rivard (dir.). Montréal : Leméac, 2014, p. 69-72.

45. « La Charte des valeurs : une avancée majeure vers la laïcité », *L'aut'journal*, 18 septembre 2013.

46. Baillargeon, Normand. « Deux modèles de laïcité ? », *Le Mouton Noir*, 9 novembre 2013.

considérant en effet que ce texte restait complètement muet sur la question du financement entièrement public de certaines écoles privées confessionnelles, sur les exemptions d'impôts accordées aux bâtiments religieux, sur les crédits d'impôt sur certains achats et sur les déductions d'impôt liées aux logements religieux[47].

Les Libres penseurs athées auraient aussi souhaité que la charte des valeurs permette d'« interdire la prière lors des séances municipales ; interdire les salles de prière dans les édifices publics ; mettre fin aux accommodements religieux consentis aux abattoirs rituels ; interdire toute mutilation du corps humain sans raison médicale et sans le consentement de l'intéressé ou l'intéressée adulte ; retirer le programme Éthique et culture religieuse des écoles publiques[48] ».

Afin de lutter contre la pression à la conformité entre élèves de confessions religieuses similaires, certaines voix rattachées aux républicains civiques – comme le SPQ-Libre et l'Association humaniste du Québec – souhaitaient même étendre l'interdiction de porter des symboles religieux aux élèves fréquentant l'école primaire et secondaire[49].

Cette distance observable à divers degrés que prennent les républicains civiques à l'égard de la charte des valeurs permet de comprendre que ces derniers ont fait un compromis en nivelant leur idéal vers le bas et donc en remettant à plus tard la mise sur pied d'une « vraie » charte de laïcité qui s'étendrait intégralement à tous les domaines où peuvent exister des liens entre la religion et l'État.

3.5 CONFLIT ENTRE FOI ET LIBRE CONSCIENCE

Une tension apparaît chez les républicains civiques au sujet du lien entre religiosité et libre conscience. Plusieurs auteurs, comme Guy Rocher, Louise Beaudoin, Daniel Turp, Danic Parenteau, n'attaquent jamais les religions pour ce qu'elles sont. D'autres, néanmoins, s'y

---

47. Baillargeon, Normand. « Une laïcité inachevée », *À bâbord !*, n° 54, avril-mai 2014.

48. « La Charte des valeurs : une avancée majeure vers la laïcité », *L'aut'journal*, 18 septembre 2013.

49. Bélair-Cirino, Marco. « Projet de loi 60. Des pro-charte proposent le retrait du voile des élèves », *Le Devoir*, 23 janvier 2014.

adonnent et laissent transparaître une posture anticléricale ainsi qu'un certain parti pris pour l'athéisme. Cette position de fermeture à l'égard de la religion, très visible par exemple chez Louise Mailloux, Daniel Baril et le Mouvement laïque québécois, constitue un trait important de cette famille de pensée sans toutefois être partagée par l'ensemble de la polyphonie des discours de la famille des républicains civiques.

Au sujet de la laïcité, Louise Mailloux se désole que cet aménagement politique ait réussi à démunir l'athéisme de son pouvoir critique envers les religions. Pour elle, la laïcité a rabaissé l'athéisme au même niveau intellectuel et philosophique que les croyances.

> En présentant l'athéisme comme un choix possible parmi d'autres, dit-elle, la laïcité a dissocié l'athéisme de la science et occulté cette distinction fondamentale entre la foi et la raison, le vrai et le faux, et miné la supériorité de la science sur la religion, faisant ainsi perdre à l'athéisme son assise et sa force subversive, si nécessaire à la critique des religions[50].

Parmi les auteurs républicains civiques, de façon significative, l'athéisme n'est pas qu'une posture parmi d'autres au sein d'un éventail de croyances. L'athéisme est le résultat d'une méthode et un rapport scientifique avec l'univers qui rejette la croyance, car *croire, c'est ne pas savoir*. L'athéisme est ainsi considéré comme une sagesse dans l'attitude du citoyen qui refuse de reconnaître l'existence de ce qui n'est pas démontré. On voit ici un trait caractéristique du scepticisme scientifique qui, lorsque appliqué à la question de l'existence d'une quelconque divinité, débouche techniquement sur l'athéisme.

Ce penchant pour l'athéisme transparaît dans la conception que plusieurs penseurs républicains civiques se font de la liberté de conscience. Cette conception est substantiellement différente de celle que se font les penseurs libéraux (qui sera détaillée à la section 5 du chapitre 5) défenseurs du rapport Bouchard-Taylor et détracteurs de la charte des valeurs. Pour plusieurs de la présente famille de pensée, la liberté de conscience ne saurait partager sa place avec des

---

50. Mailloux, Louise (2011). *La laïcité, ça s'impose!* Montréal : Éditions du Renouveau québécois, p. 127.

croyances religieuses : la liberté de conscience se construit par une protection que doit garantir l'État à l'égard du discours religieux. L'État, selon cette vision, doit jouer le rôle de rempart contre des dogmes et cultes de diverses natures. Les superstitions des nombreuses religions du monde sont des menaces à la libre conscience parce qu'elles forment des portes d'entrée à la manipulation intellectuelle des individus et des populations.

On voit donc ici le rapport très critique que ce groupe de penseurs entretient avec le cours Éthique et culture religieuse (ÉCR), défendu dans le rapport Bouchard-Taylor[51], qui ne sert pas à faire l'examen critique des discours religieux concernant les conceptions de l'univers, de l'origine de la vie et des arguments qui leur permettent d'affirmer une quelconque transcendance de leur valeur morale. En présentant de manière technique le contenu des doctrines religieuses, les républicains civiques s'indignent qu'on puisse y enseigner les récits mythologiques qui contredisent l'état des connaissances du monde scientifique tels que l'Immaculée Conception, la résurrection, les miracles, etc.

Pour Marie-Michelle Poisson, qui a été présidente du Mouvement laïque québécois, sous le cours ÉCR se cache une « propagande » en faveur du « pluralisme normatif ». À ses yeux, ce programme opère

> un détournement parfaitement planifié du processus de laïcisation du système scolaire québécois, [tout en faisant] la promotion de la « laïcité ouverte », concept à lourde charge idéologique dont l'objectif avoué est de favoriser le retour du religieux dans l'ensemble des institutions publiques[52].

Selon elle : « Les nouvelles générations ne sauront bientôt plus concevoir ni même désirer l'intégration citoyenne des Québécois,

---

51. « Nous recommandons fortement au gouvernement de faire une promotion énergique du nouveau cours d'éthique et de culture religieuse qui doit entrer en vigueur en septembre 2008 ». *Fonder l'avenir*, p. 260.

52. Poisson, Marie-Michelle (2011). « Aguments contre une propagande ». *Op. cit.*, p. 109-110.

toutes origines confondues, autour d'une norme commune, d'un contrat social commun[53]. »

On voit poindre ici une autre des valeurs clés, rousseauiste, de cette famille de pensée : la communauté politique doit être fondée sur des valeurs civiques partagées. Seul un contrat social allant en ce sens peut légitimer l'existence d'une république laïque. La conception de la nation des républicains civiques est substantiellement différente de celle de l'autre famille de pensée critique du rapport Bouchard-Taylor, les conservateurs, qui préfère une conception culturelle et sociologique de la nation (comme ce sera détaillé à la section 2 du chapitre 4). Cela explique pourquoi les républicains conservateurs et les républicains civiques rejettent tous les deux le cours ÉCR, mais pour des raisons différentes.

Parmi les critiques républicaines civiques adressées au cours ÉCR, il est possible de déceler encore une fois une certaine hostilité à l'égard des effets jugés néfastes de la religion sur la libre pensée. En proposant la base d'un contre-programme au cours ÉCR, Marie-Michelle Poisson soutient qu'un

[…] enseignement de l'éthique laïque compatible avec l'État de droit serait un enseignement humaniste faisant explicitement part des déclarations et des chartes des droits. […] Enseigner l'éthique de cette façon aurait été une menace pour toutes les morales religieuses dans la mesure où des élèves, désormais informés des droits et finalités légitimes dans une société moderne, auraient été en mesure de formuler des critiques dévastatrices – quoique largement méritées – envers les religions[54].

Cette critique intrinsèque de la religion s'observe aussi chez Caroline Beauchamp. Opposée aux tenants et aboutissants de la laïcité ouverte[55], elle soutient qu'une nature hermétique, fermée et exclusive

---

53. *Ibid.*, p. 113.

54. *Ibid.*, p. 110.

55. Pour Caroline Beauchamp, la laïcité du rapport Bouchard-Taylor est « ouverte » au multiculturalisme, aux inégalités entre les sexes transmises par les religions, à la confusion entre le religieux et le politique, à l'instrumentalisation de la foi, à la montée de la droite religieuse et à l'intégrisme. Beauchamp, Caroline (2011). *Pour un Québec laïque*. Québec : Presses de l'Université Laval, 149 pages.

rassemble autant les religions que les sectes, mais que ce serait le recours à la violence physique et psychologique qui distinguerait les secondes[56].

Chez les auteurs républicains civiques qui présentent des traits anticléricaux, il est possible d'observer une oblitération des autres dimensions de la religiosité : culturelle, traditionnelle, poétique, politique, morale, économique, humanitaire, institutionnelle, etc. Ces autres fonctions des religions ont été abondamment étudiées par des sociologues comme Émile Durkheim[57] et Max Weber[58] qui voyaient la religion comme l'institution par excellence du lien social. Concentrant l'entièreté de leur attention sur la vérifiabilité scientifique des postulats des thèses religieuses, comme celle de la genèse du monde ou de l'humanité, plusieurs intellectuels républicains civiques ramènent les religions à la vision qu'ils ont d'elles : des vues de l'esprit dont les affirmations contredisent les faits.

La conception de Karl Marx, « la religion est l'opium du peuple[59] », affiche une compatibilité avec plusieurs des points de vue défendus par des voix importantes du groupe républicain civique, même si ces derniers la partagent avec nuances et modération. Marx interprétait, en 1844, la religion comme un psychotrope affaiblissant les capacités critiques nécessaires au dévoilement de la domination sise dans des institutions religieuses et dans l'ordre des choses. Ses effets les plus notables seraient d'emprisonner les gens dans des genres, des rôles sociaux ; de reproduire des rapports économiques et des identités stratifiées ; d'imposer une morale gardant en laisse la liberté individuelle ; de favoriser le *statu quo* et la hiérarchie sociale ;

---

56. Beauchamp, Caroline (2011). *Op. cit.*, p. 70.

57. Selon Philippe Steiner, pour Durkheim, le religieux ne s'arrête pas au surnaturel ou au divin. Ses produits, sous forme de représentations collectives, font que la religion devient la condition du commun. Steiner, Philippe (2000). *La sociologie de Durkheim*. Paris : La Découverte, Coll. « Repères », p. 83.

58. Weber, de son côté, s'est aussi attardé à décortiquer les rapports entre la religion, l'économie et la dynamique de la civilisation. Il y voit des systèmes de valeurs qui ont une influence normative sur l'action et des structures nécessaires à l'organisation sociale. Max Weber, *L'Éthique protestante et l'esprit du capitalisme* (1904-1905) ; et *L'éthique économique des religions mondiales* (1915-1920).

59. « La religion est le soupir de la créature accablée par le malheur, l'âme d'un monde sans cœur, de même qu'elle est l'esprit d'une époque sans esprit. C'est l'*opium* du peuple. », dans Marx, Karl (1998). *Critique de la philosophie du droit de Hegel*. Paris : Éditions Allia, p. 8.

tout ceci ayant pour conséquence de saper les conditions nécessaires aux réformes et aux révolutions. Les effets de la religion – anesthésiants, mystifiants et aliénants – sont vus comme une friction importante dans la marche des mouvements qui s'éloignent du conservatisme. Cette lecture marxienne du phénomène religieux est compatible avec plusieurs des points de vue détaillés dans la présente section de ce chapitre.

Pour une bonne partie des intellectuels rattachés à une conception républicaine de la laïcité, au nom de la dignité humaine, il faut instruire le citoyen dans le but qu'il puisse reléguer les religions et ses déclinaisons ésotériques pour ce qu'elles sont : des superstitions. La volonté qui anime ainsi l'action militante de beaucoup de penseurs républicains civiques consiste à offrir un enseignement efficace et complet des connaissances scientifiques et de la critique rationnelle afin que tout citoyen puisse bloquer le pouvoir persuasif des diverses rhétoriques religieuses. Les prosélytes de la cité se retrouveraient, en conséquence, continuellement neutralisés et donc dépourvus d'emprise sur la société. En ce sens, les auteurs de ce groupe rejettent d'emblée les tentatives qui visent à établir un dialogue entre science et religion, car, soutiennent-ils, la science n'a rien à apprendre de la religion. Si communication il doit y avoir, ce sera la science qui instruira le discours religieux en lui dévoilant la fausseté de ses affirmations[60].

Ce refus de considérer une quelconque réunion entre les univers scientifique et religieux s'est manifesté lors de la commission Bouchard-Taylor. Des intellectuels de la présente famille de pensée ont réagi défavorablement quelque temps après la nomination de Charles Taylor à la présidence de la Commission alors qu'il remportait le

---

60. Cette imperméabilité de la science à la normativité religieuse est bien résumée par Yves Gingras : « Sur le plan du monde sensible, il y a clairement une asymétrie qui rend le dialogue unidirectionnel […] le dialogue est bref et à sens unique : la science explique à la religion que certaines de ses interprétations ne sont plus acceptables ». Gingras, Yves (2009). « Qu'est-ce qu'un dialogue entre science et religion ? ». *Argument*, vol.11, n° 2, p.19. Dans cet article, Yves Gingras répondait au livre d'une chercheuse qui a obtenu du financement de la Fondation Templeton : Lefebvre, Solange (dir.), *Raisons d'être : le sens à l'épreuve de la science et de la religion*, Montréal : Presses de l'Université de Montréal, 2008.

prix de la Fondation Templeton. Mis sur pied en 1973, ce prix est décerné à quelqu'un qui a fait « *an exceptional contribution to affirming life's spiritual dimension* ». La section « objectif » (« *purpose* ») du site de cette fondation poursuit en spécifiant que le prix ne célèbre aucune « *particular faith tradition or notion of God, but rather the quest for progress in humanity's efforts to comprehend the many and diverse manifestations of the Divine*[61] ».

Se présentant comme étant dépourvue d'ambition missionnaire, la Fondation ne milite pas pour l'expansion de la religion, mais cherche à montrer ce qu'elle apporte aux gens et aux communautés qui sont animés par la foi. Cette neutralité du financement de la Fondation Templeton est néanmoins contestée. On rapporte qu'elle a « *funded dozens of medical researchers, some at top-tier institutions, who claim an association between religious devotion and better health*[62] ». Plusieurs critiques affirment qu'un des objectifs tacites de l'organisme serait de réintégrer la foi dans la vie des gens en faisant parler des scientifiques en faveur de la religion[63].

Dans la revue *Cité laïque*[64], David Rand attaquait donc la crédibilité du professeur de philosophie, lauréat du prix, en prétextant que ce dernier présentait un postulat trop favorable à la religion :

> Ses opinions concernant la place de la religion dans la société moderne implique [*sic*] une position antilaïque. Et il vient de recevoir une immense bourse d'une Fondation notoire pour sa promotion de la théologie en milieu scientifique. Les implications pour la laïcité au Québec ne sont pas reluisantes[65].

---

61. www.templetonprize.org/abouttheprize.html (consulté le 12 février 2012).

62. « Doctors aren't chaplains. The misguided effort to meld religion and medicine », *Los Angeles Times*, 2 décembre 2006.

63. Brosseau, Olivier et Cyrille Baudouin (2012). « Cette étrange fondation Templeton ». *La Recherche*, hors série n° 48, p. 28-30.

64. Il s'agit de la revue du Mouvement laïque québécois, active depuis 2004.

65. Rand, David (2007). « Charles Taylor est-il compromis avec le Prix Templeton ? ». *Cité laïque*, n° 9, p. 16.

Comme on peut le lire dans les nombreux ouvrages de Charles Taylor[66], la religion n'est absolument pas incompatible avec la libre conscience. Selon ce dernier, c'est plutôt la situation inverse qu'il faut craindre : limiter la liberté de religion constitue plus souvent un préjudice à la liberté de conscience. Taylor présente en effet une conception de la religion comme étant un fondement important de l'identité individuelle. Les croyances peuvent, à son avis, composer les dimensions les plus profondes et significatives pour un individu : en forcer l'inhibition peut être une forme d'oppression[67]. Pour Bernard Gagnon[68], la conception « ouverte » de la laïcité défendue dans le rapport est présente chez Charles Taylor depuis les années 1960, alors qu'il s'était exprimé sur ce sujet précis dans la revue *Cité libre*[69]. David Rand, quant à lui, parlait de conflit d'intérêts dû à des prémisses « proreligions » et a, en conséquence, suggéré la démission du coprésident.

On voit ainsi ressortir à nouveau un conflit de valeurs entre l'orientation du rapport Bouchard-Taylor et la première famille des penseurs critiques du document. Un trait commun aux intellectuels républicains civiques devient, en effet, très visible au fur et à mesure que s'épaissit la controverse : la laïcité ne doit pas être au service des visées religieuses, elle ne doit pas favoriser son essor dans la société. Au contraire, la laïcité sert en partie à neutraliser le pouvoir de la religion dans la vie des gens. En d'autres mots, pour plusieurs auteurs de cette famille de pensée, la laïcité doit servir de garantie à une certaine sécularité, qu'elle soit individuelle ou sociale.

---

66. Taylor, Charles (1994). *Multiculturalisme : Différence et démocratie*. Paris : Aubier, 144 pages. Taylor, Charles (1998). *Les sources du Moi*. Montréal : Boréal, 714 pages. Taylor, Charles (2011). *Un âge séculier*. Montréal : Boréal, 1344 pages.

67. « La non-reconnaissance ou la reconnaissance inadéquate peuvent causer du tort et constituer une forme d'oppression, en emprisonnant certains dans une manière d'être fausse, déformée et réduite », dans Taylor, Charles (1997). *Multiculturalisme : différence et démocratie*. Paris : Flammarion, p. 42.

68. Gagnon, Bernard (2010). « Charles Taylor, la neutralité de l'État et la laïcité ouverte ». Dans Gagnon, Bernard (dir.). *La Diversité québécoise en débat : Bouchard, Taylor et les autres*. Montréal : Québec Amérique, p. 157-176.

69. Taylor, Charles (1963). « L'État et la laïcité ». *Cité libre*, n° 54, p. 3-6.

3.6 TRANSCENDER SON IDENTITÉ PARTICULIÈRE AU NOM D'UNE CULTURE CIVIQUE

Cette propension favorable à l'athéisme et à la sécularité transparaît dans la conception partagée par plusieurs discours de ce groupe à propos du sens de la laïcité. Selon une interprétation propre aux républicains civiques, un État est vraiment laïque quand il contraint au retrait des manifestations religieuses chez les employés de l'État dans les institutions publiques et parfois chez certains de leurs usagers. Conséquemment, cette famille de pensée présuppose que l'esprit d'une réelle laïcité exige qu'on soit capable de transcender son identité en laissant de côté certaines particularités, qu'elles soient religieuses ou même politiques.

À cet égard, une des conclusions de la commission Stasi[70], suggérant l'interdiction du port du voile à l'école[71], se trouve souvent citée en exemple par les auteurs de cette famille de pensée[72].

Cette conception dépasse la loi française de 1905, qui exigeait alors la fin des rapports entre les Églises et l'État français. La commission Stasi a mené à l'adoption, en 2004, de la *Loi sur les signes religieux dans les écoles publiques* dans le code de l'éducation de la France. On peut lire à l'article L141-5-1 de ladite loi que désormais « [dans] les écoles, les collèges et les lycées publics, le port de signes

---

70. Stasi, Bernard (2003). *Commission de réflexion sur l'application du principe de laïcité dans la République.* Rapport au président de la République. Paris : La Documentation française, 78 pages.

71. Le rapport Stasi suggère néanmoins des mesures qui vont dans un sens accommodant. Entre autres, en invitant « les administrations à prévoir des mets de substitution dans les cantines publiques » ; à « faire des fêtes religieuses de Kippour et de l'Aïd-El-Kebir des jours fériés dans toutes les écoles de la République » ; « Dans le monde de l'entreprise, permettre aux salariés de choisir un jour de fête religieuse sur leur crédit de jours fériés » ; « Recruter des aumôniers musulmans dans l'armée et dans les prisons » ; « Rééquilibrer le soutien apporté aux associations au profit des associations culturelles » ; « L'enseignement de langues non étatiques nouvelles doit être envisagé (par exemple, berbère, kurde). Développer l'apprentissage de la langue arabe dans le cadre de l'éducation nationale et non dans les seules écoles coraniques » ; « Inviter les administrations à prendre en compte les impératifs religieux funéraires. » Extraits tirés du rapport Stasi (2003). *Commission de réflexion sur l'application du principe de laïcité dans la République,* p. 66 à p. 69.

72. À ce sujet, Daniel Baril dit que l'interdiction du voile en France est un succès et qu'il n'y a pas de raison qu'on ne procède pas ainsi au Québec. Baril, Daniel (2011). « La laïcité sera laïque ou ne sera pas ». *Op. cit.,* p. 52.

ou tenues par lesquels les élèves manifestent ostensiblement une appartenance religieuse est interdit[73] ».

Il est important de noter que cette posture française, issue de la loi du 15 mars 2004 à l'égard des signes religieux ostensibles, est une orientation récente de la laïcité française. Les défenseurs de cette position justifient cette tournure par l'évolution démographique de plusieurs classes d'écoles publiques françaises dans lesquelles un nombre historiquement élevé de filles musulmanes portaient le voile. Dans le but de ne pas nuire au libre choix des jeunes musulmanes qui voudraient refuser d'arborer ce vêtement, la stratégie au cœur de cette loi est donc d'en éliminer la présence afin d'éradiquer les pressions à la conformité qui pourraient en découler[74].

Louise Beaudoin, Djemila Benhabib et d'autres considèrent cette façon de faire comme l'unique incarnation d'une politique réellement laïque. En plus de séparer l'Église de l'État, cette vision soutient qu'il est nécessaire de séparer les signes religieux très visibles des citoyens qui fréquentent certaines institutions. On comprend donc l'incompatibilité entre le discours des républicains civiques et le rapport Bouchard-Taylor qui, dans ses propositions finales adressées au gouvernement, a recommandé d'interdire les signes religieux aux juges et aux policiers, mais pas aux enseignantes, infirmières et médecins. Le rapport rejette également toute réglementation vestimentaire pour les usagers, car le but des commissaires était de ne

---

73. Article L141-5-1, créé par la Loi n° 2004-228 du 15 mars 2004 – art. 1 JORF 17 mars 2004 en vigueur le 1er septembre 2004.

74. Il est à noter qu'un débat similaire sur le port des signes religieux ostensibles dans les écoles avait aussi eu lieu vers la fin des années 1980 en France. Dans *Les Avis rendus par l'assemblée générale du Conseil d'État* (n° 346.893), on pouvait lire que « dans les établissements scolaires, le port par les élèves de signes par lesquels ils entendent manifester leur appartenance à une religion n'est pas par lui-même incompatible avec le principe de laïcité, dans la mesure où il constitue l'exercice de la liberté d'expression et de manifestation de croyances religieuses, mais que cette liberté ne saurait permettre aux élèves d'arborer des signes d'appartenance religieuse qui, par leur nature, par les conditions dans lesquelles ils seraient portés individuellement ou collectivement, ou par leur caractère ostentatoire ou revendicatif, constitueraient un acte de pression, de provocation, de prosélytisme ou de propagande, porteraient atteinte à la dignité ou à la liberté de l'élève ou d'autres membres de la communauté éducative ». En somme, en 1989, le Conseil d'État français était d'avis qu'il en revenait à la discrétion des établissements de réglementer le port des signes religieux. Contrairement à 2004, l'interdiction nationale avait été rejetée. Avis accessible à cette adresse : www.conseil-etat.fr/media/ document//avis/346893.pdf.

pas entraver l'autonomie de gestion des établissements publics, qui doivent interagir dans des contextes variés et avec des populations de cultures diverses (centres locaux de services communautaires, hôpitaux, garderies, écoles, bains publics, etc.).

Du côté des républicains civiques, cette volonté de dépasser la séparation de l'Église et de l'État, en procédant aussi à la séparation des signes religieux des usagers et employés des institutions publiques, cherche à mettre la société à l'abri du prosélytisme, car, selon eux, en s'exposant aux autres, les signes religieux incarnent une sorte de militantisme passif. Pour certains de cette famille de pensée, il faut dépasser la portée du projet de loi 94, qui interdit indirectement le port du voile intégral (burqa) chez les usagers des services publics[75].

Le rapport idiosyncrasique aux figures, icônes, images et objets sacrés se voit déclassé par la lecture de beaucoup de penseurs du groupe républicain civique. Quoi qu'en pense celui qui porte un symbole religieux visible ou très visible, soutiennent-ils, on ne peut dissocier le signifiant du signifié. Le symbole religieux est présenté comme une identification idéologique qui cherche à se vendre en utilisant l'espace public ou institutionnel. De cette façon, une femme voilée peut bien ne voir en son voile qu'une forme d'attachement à la religion ou à des valeurs spirituelles ; mais, pour les auteurs inspirés de la laïcité républicaine française, d'autres citoyens continueront de considérer cet objet comme un symbole d'oppression d'où se dégage une volonté politique intégriste. La dissociation, considérée comme impossible, du signifiant et du signifié devient en conséquence l'argument qui justifierait l'effacement desdits symboles. Ce genre de

---

75. Au chapitre II, article 6, du projet de loi 94 (loi établissant les balises encadrant les demandes d'accommodement dans l'Administration gouvernementale et dans certains établissements), on stipule qu'est «d'application générale la pratique voulant qu'un membre du personnel de l'Administration gouvernementale ou d'un établissement et une personne à qui des services sont fournis par cette administration ou cet établissement aient le visage découvert lors de la prestation des services et que lorsqu'un accommodement implique un aménagement à cette pratique, il doit être refusé si des motifs liés à la sécurité, à la communication ou à l'identification le justifient». On voit ici que le voile intégral est une interdiction indirecte de ce règlement, car aucun symbole religieux n'a pas été visé explicitement dans tout le contenu du projet de loi. Brigitte Breton, dans son éditorial «Raisonnable et réaliste», *Le Soleil*, 25 mars 2010, considère de son côté que cette loi respecte l'esprit de la laïcité ouverte défendue dans le rapport Bouchard-Taylor.

lecture est présent, entre autres, chez Daniel Baril : « Au-delà de sa fonction de protection le vêtement est donc un moyen de communication des valeurs, du statut social, du rôle et de l'identité du porteur ; c'est ainsi qu'il devient un costume[76] ». Baril associe même la volonté de certaines personnes de porter des symboles à caractère religieux au travail à l'expression d'un rapport nécessairement fondamentaliste à un culte :

> Le langage non verbal de ce signe distinctif exprime non seulement le fait que la personne est croyante, mais, également, qu'elle appartient à telle ou telle religion, avec tout son système de valeurs et de croyances, et qu'elle en fait une interprétation fondamentaliste puisqu'elle place son appartenance religieuse au-dessus de sa fonction professionnelle[77].

Cette posture intellectuelle à l'égard des symboles religieux chez les employés et les usagers est un trait caractéristique important de cette famille de pensée et permet d'approfondir un peu plus l'analyse à l'égard du voile et des diverses formes de radicalisme religieux.

3.7 OPPOSITION FERME AU VOILE ET AU RADICALISME RELIGIEUX

La nébuleuse des républicains civiques québécois fait voir un de ses accents toniques dans la critique de l'intégrisme et du fondamentalisme religieux. Le voile islamique s'est retrouvé au centre du débat, entre autres, par les interventions de la chroniqueuse Djemila Benhabib[78]. En tant que victime d'oppression en Algérie, cette dernière a même tenu le rôle d'emblème de la femme affranchie du patriarcat considéré comme inhérent aux grandes religions monothéistes.

C'est à partir de leur position s'opposant au port du voile dans la fonction publique que les voix républicaines civiques se sont pré-

---

76.   Baril, Daniel (2011). « La laïcité sera laïque ou ne sera pas ». *Op. cit.*, p. 47.

77.   *Ibid.*

78.   Benhabib, Djemila (2009). *Ma vie à contre-coran* : une femme témoigne sur les islamistes. Montréal : VLB, 272 pages. Benhabib, Djemila (2011). *Les soldats d'Allah à l'assaut de l'Occident*. Montréal : VLB, 294 pages.

sentées comme les authentiques défenseures du féminisme et de l'égalité entre les hommes et les femmes. Pour les féministes de la constellation des républicains civiques, toute négociation avec des demandes religieuses constitue un recul de la laïcité au profit des forces qui s'y opposent. En ce sens, la rupture est consommée entre cette famille de pensée et la Fédération des femmes du Québec (FFQ) [79] et Québec solidaire (QS) [80], qui ont refusé de prendre position pour l'interdiction du voile dans les institutions publiques.

Qualifiant cette position de « pro-voile », Djemila Benhabib accuse la FFQ, QS et « les deux commissaires [d'avoir] cédé au rapport de force en faveur des islamistes[81] ». Pour elle, il s'agit d'une position développée par des « intellectuelles rongées par le relativisme culturel[82] » et les gens qui soutiennent cette position seraient « enfermés à double tour dans une dérive islamo-gauchiste pernicieuse[83] ». Ces deux organisations que sont la FFQ et QS font partie d'une autre famille de pensée féministe, qui sera analysée en détail à la section 5 du chapitre 5. Celle-ci manifeste une écoute favorable aux demandes des groupes communautaires, même religieux, et fait du dialogue avec ces derniers une stratégie d'intégration. QS, la FFQ et le rapport Bouchard-Taylor voient dans l'interdiction du voile une sorte de discrimination qui handicapera l'intégration sociale des femmes de certaines communautés culturelles.

Djemila Benhabib considère ce rapprochement comme une « dérive communautaire » faisant preuve de lâcheté, d'égarement et de naïveté. En d'autres mots, un excès d'ouverture à la différence aurait mené une partie des féministes à un aveuglement à l'égard de certaines valeurs religieuses qui sont rétrogrades pour les femmes. Pour les penseures féministes du groupe républicain civique, cette

---

79. Décision prise en assemblée générale au printemps 2009. Lire l'article d'Annie Mathieu, « La Fédération des femmes opposée à l'interdiction des signes religieux », *La Presse canadienne*, 9 mai 2009.

80. Décision prise au congrès du parti de novembre 2009. Lire l'article de Benoit Renaud, « Port de signes religieux : Québec solidaire ose aller à contre-courant », *Le Devoir*, 6 janvier 2010.

81. Benhabib, Djemila (2011). *Les soldats d'Allah à l'assaut de l'Occident*, p. 257.

82. *Ibid.*, p. 201-202.

83. *Ibid.*, p. 203.

ouverture au voile traduit le symptôme d'une incapacité de voir l'intégrisme qui se cache sous certains symboles :

> Françoise David oublie un détail… Parmi celles qu'elle considère comme des « sœurs » et qu'elle ne veut pour rien au monde offenser, il y en a qui sont au service d'une idéologie totalitaire, responsable de l'oppression de millions de femmes dans les sociétés arabo-musulmanes et de l'enfermement, en Occident, de jeunes filles[84].

Plus largement, il a été possible de constater une posture d'hostilité intrinsèque à la religion faite au nom de l'égalité des sexes. L'intervention de Janette Bertrand pour la Charte des valeurs fut la prise de parole la plus tonitruante allant en ce sens :

> En ce moment, le principe de l'égalité entre les sexes me semble compromis au nom de la liberté de religion. J'aimerais vous rappeler que les hommes ont de tout temps et encore de nos jours utilisé la religion dans le but de dominer les femmes, de les mettre à leur place, c'est-à-dire en dessous d'eux[85].

Il est difficile et souvent impossible chez les auteurs républicains civiques de dissocier le voile de l'image de soumission de la femme. On affirme que seule la rhétorique peut faire croire que le « voile ne serait plus la marque de la soumission et de l'asservissement de millions de femmes dans le monde[86] ». Pour Louise Mailloux et Djemila Benhabib, la fermeture à l'égard du voile est d'autant plus nécessaire, car le monde contemporain connaît un regain de l'intégrisme religieux et, pour cela, le port du voile doit être endigué[87]. Jean-Marc Piotte impute l'accroissement de cette pratique à la propagande des Frères musulmans « fondateurs dans le monde arabe moderne d'un islamisme passéiste et rétrograde[88] ».

Selon Louise Mailloux, les accommodements religieux et la laïcité ouverte participent d'un même principe qui « sert de cheval de Troie

---

84. Benhabib, Djemila (2011). *Les soldats d'Allah à l'assaut de l'Occident*, p. 230.

85. « Le manifeste des "Janette" – Aux femmes du Québec », *Le Devoir*, 15 octobre 2013.

86. Benhabib, Djemila (2011). *Les soldats d'Allah à l'assaut de l'Occident*, p. 219.

87. Mailloux, Louise (2011). *La laïcité, ça s'impose !*, p. 131.

88. Piotte, Jean-Marc (2011). « Le voile et le crucifix ». *Op. cit.*, p. 75.

à la religion[89] » dans les institutions et à l'intégrisme dans la société. Affichant un certain anticléricalisme, elle justifie son rapport hostile en soutenant que

> […] si nous [les féministes] avons les religions à l'œil, c'est parce qu'elles sont toutes misogynes et sexistes et bafouent constamment les droits des femmes. D'ailleurs, l'histoire en témoigne, à chaque fois que les religions gagnent du terrain dans l'espace public et se rapprochent du politique, les droits des femmes régressent[90].

Ainsi, la charte des valeurs a été présentée par plusieurs plumes républicaines civiques comme le rempart à la radicalisation religieuse. Pour Karim Akouche: «La laïcité est cette digue qui protégerait l'État contre les tentations intégristes. Ceux qui l'adjectivent la fragilisent. Ceux qui la combattent déroulent le tapis vert aux ennemis de la démocratie et de la paix. La laïcité ouverte, n'en déplaise au couple candide Taylor-Bouchard, c'est l'ouverture à l'intégrisme[91]. »

Selon cette ligne de pensée, le rejet des accommodements religieux devrait être formel, car ce sont des pistes qui montrent le chemin aux intégristes qui voudraient contourner (ou nier) une des valeurs les plus chères aux républicains civiques: l'égalité des sexes. En d'autres mots, l'accommodement raisonnable peut être instrumentalisé pour retourner le droit contre la justice en créant des exceptions qui ouvrent la porte à l'inégalité entre hommes et femmes.

3.8 PRIMAUTÉ DE L'ÉGALITÉ DES SEXES SUR LA LIBERTÉ DE RELIGION

Le Conseil du statut de la femme (CSF) a réagi défavorablement aux conclusions du rapport Bouchard-Taylor. Il a été possible de lire la désolation de cet organisme dans un communiqué de presse: «[…] dès l'introduction, il saute aux yeux que l'égalité entre les femmes et

---

89. Mailloux, Louise (2011). *Op. cit.*, p. 68.

90. «Laïcité et égalité des sexes», entrevue avec Louise Mailloux par Jocelyn Parent, site du CCIEL, janvier 2010. Accessible sur le site *vigile.net* à l'adresse www.vigile.net/Laicite-et-egalite-des-sexes (consulté le 21 mai 2011).

91. «Radicalisation: réveillez-vous, belles âmes», *Le Devoir*, 27 octobre 2014.

les hommes n'est pas une valeur, et encore moins un droit, qui est à la base de ce rapport [...] La valeur d'égalité entre les femmes et les hommes est plus souvent citée entre parenthèses[92] ». Cette critique a persisté dans le temps, car, trois ans plus tard, le CSF publiait un avis affirmant qu'un « Québec respectueux de l'égalité entre les sexes ne peut continuer d'avancer sur la voie de la laïcité ouverte[93] ».

Par ailleurs, d'autres voix féministes au sein de la constellation républicaine civique se sont prononcées sur le rapport. Chez Caroline Beauchamp, par exemple, les régressions des acquis féministes dépassent la simple hypothèse. Des groupes sociaux pourraient profiter des espaces d'exceptions offerts par les accommodements religieux pour instrumentaliser le droit à leur avantage :

> Les revendications de la droite religieuse au Canada sont tangibles. Les révélations de pressions subies par les élues et élus ne peuvent être ignorées, par exemple, à l'encontre de l'avortement, pas plus que le fait que tous les pays occidentaux assistent au phénomène de l'islamisation de leur société en raison de l'étendue des flux migratoires des populations musulmanes sur leurs territoires. Si l'islam est une religion, l'islamisme est un mouvement politique qui a imposé ces dernières années en Iran, en Égypte et en Afghanistan des règles hautement discriminatoires pour les femmes, en vertu de la charia[94].

Dans un sens similaire, lors d'un appel à la signature d'une pétition pour mettre sur pied une charte de la laïcité[95] qui a obtenu des centaines de signatures, Élaine Audet, éditrice du site féministe *sisyphe.org*, expliquait aussi que

---

92. Conseil du statut de la femme, « Réaction du Conseil du statut de la femme au rapport de la commission Bouchard-Taylor : l'égalité entre les femmes et les hommes mise entre parenthèses », communiqué de presse, 23 mai 2008.

93. Conseil du statut de la femme, *Affirmer la laïcité, un pas de plus vers l'égalité réelle entre les femmes et les hommes*, 28 mars, 2011.

94. Beauchamp, Caroline (2011). *Op. cit.*, p. 68.

95. Guilbault, Diane (2008). *Démocratie et égalité des sexes*. Montréal : Sisyphe, 138 pages.

[…] l'égalité des hommes et des femmes doit beaucoup aux luttes passées pour se libérer du joug de la religion catholique, dont l'influence a longtemps pesé sur la vie privée des Québécois et sur les décisions de l'État et de ses institutions. […] Ces luttes ne sont pas terminées quand on constate les pressions exercées sur l'État, notamment pour qu'il ramène l'enseignement de la religion à l'école, qu'il restreigne le droit à l'avortement et qu'il subventionne les écoles confessionnelles privées[96].

Avançant dans la même direction, Francine Descarries a ajouté qu'il faudrait enchâsser la laïcité dans la Charte des droits et libertés du Québec, car cela pourrait constituer l'instrument supplémentaire qui aiderait les femmes dans leur lutte contre le sexisme des religions, parce que : « Encore aujourd'hui, dit-elle, les grandes religions monothéistes continuent de refuser aux femmes le droit à une totale égalité[97]. » Selon elle, il y a une incompatibilité fondamentale entre certaines cultures religieuses et l'égalité des sexes. Un état démocratique, égalitaire et laïque a le devoir d'intervenir, car, « faut-il le rappeler, les textes sacrés des trois grandes religions monothéistes, la Torah, les Évangiles et le Coran, ont été rédigés, puis transmis, interprétés et appliqués au fil des siècles par l'intermédiaire de messagers inscrits dans des sociétés patriarcales fondées sur le principe de la division et de la hiérarchie des sexes ».

À cet égard, le rapport en 2004 de la juge ontarienne Marion Boyd[98] suggérant la création de tribunaux d'arbitrage familial fondés sur le droit musulman en Ontario[99] est toujours cité comme l'exemple suprême du péril qu'entraînent les traitements particuliers. L'inter-normativité juridique puisant dans un relativisme (ou un pluralisme) juridique est une des craintes les plus audibles des féministes

---

96. Audet, Élaine. « Non aux signes religieux dans les services publics », *Le Devoir*, 25 mai 2009.

97. Descarries, Francine (2013). « Pourquoi les femmes québécoises ont-elles besoin d'un État laïque dans leur lutte à l'égalité ? ». Dans *Pour une reconnaissance de la laïcité au Québec*. Baril, Daniel et Yvan Lamonde (dir.), Québec : Presses de l'Université Laval, p. 98.

98. *Dispute Resolution in Family Law : Protecting Choice, Promoting Inclusion*, December 2004, Executive Summary, Report prepared by Marion Boyd. Toronto : Ministry of the Attorney General.

99. « Un comité ontarien recommande la création d'un tribunal islamiste », *Le Devoir*, 21 décembre 2004. « L'Ontario rejette la charia. Aucun tribunal religieux ne sera toléré, annonce McGuinty », *Le Devoir*, 12 septembre 2005.

républicaines civiques. Ceci permet de dégager la ligne maîtresse de la branche féministe de la présente famille de pensée : la laïcité doit garantir l'égalité des sexes et tout projet qui s'en éloigne n'est certainement pas laïque. Ce mariage entre laïcité et égalité des sexes est aussi une position du rapport Stasi, qui sert de boussole à plusieurs penseurs de cette famille idéologique. À ce sujet, on peut lire dans le rapport au président de la République : « Aujourd'hui, la laïcité ne peut être conçue sans lien direct avec le principe d'égalité entre les sexes[100]. »

Pour Yolande Geadah, le rapport n'a pas adopté une posture féministe satisfaisante. Parlant d'« omission grave », elle partage sa lecture des conclusions des commissaires :

> [...] là où le bât blesse le plus, c'est lorsque le rapport passe outre aux craintes exprimées par plusieurs voulant que certains accommodements religieux contreviennent au principe de l'égalité des sexes. [...] En l'absence de balises claires visant à renforcer le principe d'égalité des sexes qui mérite protection, on ne voit pas comment on pourra éviter d'autres débats ou dérives liées à certaines pratiques religieuses qui reposent sur un principe contraire, celui de la hiérarchie des sexes[101].

Elle craint que cette insuffisance affirmative fasse ressurgir constamment des débats ou des demandes d'accommodements culturels qui contredisent « le respect des droits des femmes immigrantes, trop souvent niés par des coutumes traditionnelles[102] ».

Il a été révélé dans les médias qu'une pratique existant à la Société de l'assurance automobile du Québec et à la Régie de l'assurance maladie du Québec permettait à des usagers de demander à ne pas être servis par des employés du sexe opposé[103]. Lors d'une conférence, Yolande Geadah a répondu à cette situation en disant :

---

100. Stasi, Bernard (2003). *Op. cit.*, p. 52.

101. Geadah, Yolande. « Commission Bouchard-Taylor. Un rapport insensible à l'égalité des sexes », *Le Devoir*, 16 juin 2008.

102. *Ibid.*

103. Rapporté par Robert Dutrisac dans « Accommodements à sens unique. À la RAMQ, un homme peut refuser d'être servi par une femme, sauf si elle est voilée », *Le Devoir*, 8 octobre 2009.

Les employé(e)s d'un service public n'ont pas à subir de discrimination ou un questionnement de leurs compétences sur la base des préférences religieuses des usagers. De plus, accommoder ces demandes pourrait conduire à vouloir établir des services séparés pour les femmes dans diverses institutions publiques. Ce modèle d'apartheid n'est guère souhaitable dans une société égalitaire[104].

La sensibilité féministe de ce groupe s'est matérialisée par la volonté de réécrire la Charte des droits et libertés de la personne afin de dépasser la portée interprétative du projet de loi 63 adopté en juin 2008, dont le texte modifiait « la Charte des droits et libertés de la personne afin d'affirmer expressément que les droits et libertés énoncés dans la Charte sont garantis également aux femmes et aux hommes[105] ».

Les partis d'opposition, appuyés par les féministes de la présente famille de pensée, voulaient aller plus loin et « ajouter une clause interprétative à la Charte québécoise des droits et libertés de la personne afin que l'égalité des sexes soit prépondérante[106] ». Le rejet de cette proposition par le PLQ, la Commission des droits de la personne et des droits de la jeunesse et le Barreau du Québec[107] a été considéré par des féministes associées aux penseurs républicains civiques comme le refus « de trancher entre le droit à la liberté de religion et le droit à l'égalité pour les femmes[108] ».

Des membres féministes du Collectif citoyen pour l'égalité et la laïcité (CCIEL) ont condamné la position du gouvernement de Jean Charest, qui refusait de mettre fin à ces demandes jugées sexistes dans les institutions :

---

104. Rapporté par Louis Dubé dans « Accommodements raisonnables. Conférence de Yolande Geadah », *Le Québec sceptique*, n° 67, 2008, p. 42-51.

105. Projet de loi 63. Loi modifiant la Charte des droits et libertés de la personne, sanctionnée le 12 juin 2008.

106. Rapporté par Tommy Chouinard dans « Québec n'est pas prêt à donner la primauté à l'égalité des sexes », *La Presse*, 8 octobre 2009.

107. Ces trois organisations font partie d'une autre famille de pensée qui sera analysée dans le chapitre 5.

108. Carrier, Micheline. « Projet de loi 16 – La conquête de l'égalité, un vrai rocher de Sisyphe », publié le lundi 12 octobre 2009, sur le site *sisyphe.org* : http://sisyphe.org/spip.php?article3408 (consulté le 13 avril 2011).

De plus en plus de citoyennes et de citoyens au Québec sont convaincus que le caractère laïque de nos institutions publiques est en péril et que, ce faisant, cela risque de faire perdre aux femmes les acquis des dernières décennies. [...] Au lieu de sombrer dans le passé en réintroduisant le religieux dans la gestion du vivre ensemble, le Québec doit plutôt se souvenir du processus historique qui l'a amené à la séparation du politique et du religieux depuis 50 ans. La laïcité, c'est opter pour un cadre politique qui permet une vision moderne, démocratique, basée sur les droits humains [*sic*] plutôt que sur les lois religieuses[109].

Ainsi, les féministes républicaines civiques ont réuni trois des grands traits de leur famille de pensée dans l'intervention précédente, à savoir : 1) un attachement à la sortie de la « Grande Noirceur » (période associée à des relations étroites entre la religion et l'État) ; 2) un désir d'affirmer la laïcité dans un texte de loi (qui se matérialiserait dans la charte des valeurs) ; 3) et une volonté d'affirmer l'égalité des sexes comme valeur fondatrice de la communauté politique québécoise.

3.9 ANALYSE DES VALEURS CLÉS DES RÉPUBLICAINS CIVIQUES

Les conflits de valeurs qui ont animé la controverse entourant la laïcité montrent que, pour les républicains civiques, il faut faire en sorte que la la liberté de conscience l'emporte sur la liberté de religion lorsqu'une tension se dresse entre les deux. Le côté civique de ce groupe se détecte facilement par la place qu'on accorde à l'école, considérée comme l'institution fondamentale de la république, lieu où se développent les valeurs que les citoyens doivent partager pour faire communauté. En d'autres mots, pour les penseurs de cette nébuleuse, il faut accepter de *transcender* son identité individuelle pour le bon fonctionnement de la cité ; ce qui signifie donc de devoir mettre de côté temporairement certaines particularités lorsque l'intérêt collectif est en jeu.

En ce qui concerne la transmission des valeurs communes, une préoccupation importante se dégage du lot : protéger le citoyen de

---

109. Djemila Benhabib, Diane Guilbault, Louise Mailloux, Hafida Oussedik, membres du Collectif citoyen pour l'égalité et la laïcité (CCIEL), « Accommodements discriminatoires », *La Presse*, 6 octobre 2009.

la portée du pouvoir religieux puisqu'il peut sérieusement menacer la liberté de conscience. Cet ensemble de voix républicaines civiques estime que la sécularisation de la société, la laïcisation des institutions et du politique et l'égalité des sexes constituent des progrès non négociables. La commission Bouchard-Taylor, par l'ouverture dont elle fait preuve à l'égard du religieux dans des espaces comme l'école et les institutions publiques, est vue par les penseurs concernés dans ce chapitre comme une marche *à rebours* sur le chemin effectué par la société québécoise depuis la Révolution tranquille.

En exigeant plus de rigidité à l'endroit des symboles religieux portés par les employés de l'État et même chez les citoyens qui les fréquentent, ces penseurs mettent de l'avant la volonté d'une contrainte nécessaire de la liberté religieuse. Les intellectuels de ce groupe se sont d'ailleurs plaints unanimement de l'absence de l'enseignement de l'athéisme et de l'agnosticisme dans le cours ÉCR, cours qui se trouve à être à la fois la réponse à la crise des accommodements raisonnables et une réincarnation du présent débat puisque ce sont les mêmes acteurs, à quelques exceptions près, qui sont entrés en opposition à son sujet.

Daniel Baril, Louise Mailloux, Djemila Benhabib, Caroline Beauchamp, Yolande Geadah, Louise Beaudoin, Guy Rocher et Daniel Turp forment les grandes voix de cette famille intellectuelle. Du côté des regroupements, ce sont les féministes du Conseil du statut de la femme et du site *sisyphe.org*, le Mouvement laïque québécois et le Collectif citoyen pour l'égalité et la laïcité qui se sont fait entendre comme les critiques les plus audibles. Toutes ces voix se sont exprimées comme position prédominant dans des publications comme la revue *Cité laïque* et *L'aut'journal*. La plupart des auteurs de cette famille de pensée se sont réunis en s'exprimant conjointement dans la « Déclaration des Intellectuels pour la laïcité (IPL) : Pour un Québec laïque et pluraliste[110] ». Comme le disait Georg Simmel[111], les conflits ont pour effet de réunir les groupes autour de valeurs et d'antivaleurs, et de les faire se réunir dans des lieux d'échange et de

---

110. *Le Devoir*, 16 mars 2010.
111. Simmel, Georg (2003). *Op. cit.*

collaboration. La déclaration des IPL, signée par des centaines de gens, se présente donc comme une manifestation de cette dynamique conflictuelle où des gens aux valeurs et intérêts similaires se sont coalisés pour avoir plus d'influence dans le débat public.

Les plumes des auteurs de ce champ étaient souvent à gauche, portant des affiliations sociales démocrates et syndicalistes. On a pu y noter aussi, de façon non marginale, des dénominations plus radicales : socialistes, anarchistes et marxistes. La contribution critique du rapport de la part des féministes est évidente, mais provient essentiellement d'une déclinaison non libérale de ce courant. Une autre composante tout aussi présente de cette famille de pensée affichait un attachement certain à la science, aux Lumières et au rationalisme.

Les républicains civiques n'adhèrent pas à la conception libérale de la laïcité (basée avant tout sur la neutralité et les droits individuels) défendue par Micheline Milot et Jean Baubérot[112], mais plutôt à celle d'Henri Peña-Ruiz qui est moins axée sur la tolérance que sur la séparation entre État et religion afin de neutraliser le pouvoir politique clérical[113].

Les diverses préoccupations des républicains civiques se rejoignent, de plus, autour d'une conception politique de la nation. Cette vision rousseauiste fondée sur le contrat social bâtit une nation politique par l'enseignement de valeurs communes à travers l'école ; ce qui doit en exclure les particularismes. Une chose est claire au sein de cette nébuleuse, l'héritage canadien-français qui traîne avec lui son passé catholique ne saurait servir de référence pour composer les valeurs fondamentales de la société québécoise. De l'autre côté, on craint vivement dans ce groupe que la laïcité ouverte et les accommodements raisonnables deviennent des stratégies utilisées par des fondamentalistes pour s'extraire des valeurs républicaines comme celle de l'égalité entre les hommes et les femmes. En ce sens, les républicains civiques qui viennent d'être analysés présentent la Révolution

---

112. Milot, Micheline et Jean Baubérot (2011). *Laïcités sans frontières*. Paris : Seuil, 338 pages.

113. Peña-Ruiz, Henri (2003). *Qu'est-ce que la laïcité ?* Paris : Gallimard, 329 pages.

tranquille comme une sorte de mythe fondateur de la laïcité au Québec, une période à partir de laquelle la laïcisation des institutions et la sécularisation des mœurs québécoises ont enclenché une évolution, main dans la main.

CHAPITRE 4
Les républicains conservateurs :
patrimoine, mémoire et sens commun

Lors des temps forts de la controverse sur la laïcité, il a été possible de voir une tension majeure entre deux groupes républicains à propos du sort qu'il faudrait réserver au fond chrétien de la culture québécoise. Les angles des attaques adressées au rapport Bouchard-Taylor ainsi que les stratégies de défense de la charte des valeurs qui ont été déployées permettent de remonter à deux univers idéologiques clairement distincts. Les valeurs cardinales des républicains civiques (**du chapitre 3**) sont en effet entrées en choc avec celles d'un autre groupe républicain aux accents conservateurs. Ces derniers, même s'ils reconnaissent le caractère fondamental des droits universels et des valeurs politiques comme la séparation de l'Église et de l'État, cherchent à maintenir un rapprochement entre la communauté politique et la communauté de sens québécoise façonnée par l'histoire.

En somme, comme ce sera présenté dans les pages qui suivent, ce sont des caractéristiques identitaires, nationales, culturelles, patrimoniales et historiques qui servent de munitions aux penseurs conservateurs du Québec pour pourfendre le rapport Bouchard-Taylor et pour défendre la charte des valeurs québécoises (**sections 4.1 et 4.2**). C'est, en d'autres mots, parce qu'ils conçoivent les Québécois comme une communauté culturelle située dans le temps et comme une communauté de sens que les auteurs réunis dans ce chapitre se sont engagés dans la controverse sur la laïcité (**section 4.3**). Choisir le mauvais modèle de laïcité orienterait le Québec, selon eux, vers une rupture historique. Cela permet d'apporter une précision très importante au sujet de cette famille intellectuelle : leur conservatisme n'a rien à voir avec la fiscalité publique et la taille de l'État. Le conservatisme du discours des auteurs recensés dans ce chapitre concerne l'identité québécoise et il ne faudrait pas l'assimiler à une droite économique.

La présence d'un « nous » québécois se fait clairement sentir au sein de cette deuxième famille de pensée. C'est en effet à partir d'un nationalisme culturel critique de la vision abstraite du contrat social que les républicains conservateurs ont élaboré une conception du bien commun ainsi qu'une formule générale d'intégration de la diversité (**section 4.4**). De plus, l'histoire et la mémoire se présentent à leurs yeux comme le ciment de l'identité collective qui permet de souder la diversité aux exigences du bien commun (**section 4.5**). Cela explique pourquoi on entend au sein de cette constellation une volonté de réconciliation avec l'héritage antérieur aux années 1960 et des appels à une relecture de ce qu'on appelle communément la « Grande Noirceur » (**section 4.6**). L'appel que fait le rapport Bouchard-Taylor pour une officialisation et un approfondissement de l'interculturalisme comme modèle identitaire pour le Québec est reçu très froidement sinon hostilement de la part de la famille de pensée qui sera analysée dans les pages qui suivent. Les voix qui composent la présente constellation idéologique considèrent, en effet, que ce modèle ne se distingue pas suffisamment du multiculturalisme canadien pour servir le destin de la nation et de la conception qu'ils se font de ses intérêts (**section 4.7**). En dernier lieu, les penseurs républicains conservateurs jugent qu'il faut mettre un frein à la *judiciarisation des enjeux collectifs* surtout en matière de politiques identitaires. Ces dernières doivent suivre la voie tracée par la majorité démocratique et par les traditions politiques québécoises. En d'autres mots, ce sont les institutions politiques qui doivent être garantes du destin collectif, plutôt que les institutions juridiques, le droit et les tribunaux (**section 4.8**).

4.1 CONTRE L'«INTÉGRISME LAÏQUE»

Un des traits importants qui se dégage chez les républicains conservateurs s'observe d'abord par la substance historique dont est investie l'identité collective qu'ils mettent de l'avant. En tenant à maintenir vives les sources historiques de l'identité de la nation québécoise, la chrétienté se voit accorder le rôle de socle culturel.

À ce sujet, Guy Durand a tenté de démêler deux concepts qui ont été amalgamés, selon lui, dans la foulée de la commission Bouchard-Taylor, des débats sur la laïcité et des discussions entourant la place du pluralisme au Québec. Comme l'évoque le titre de son livre, *La culture religieuse n'est pas la foi*, il faut distinguer la culture religieuse des croyances. En ce sens, le Québec peut bien conserver des symboles chrétiens tout en étant laïque puisque cet univers n'est pas obligatoirement ni exclusivement objet de doctrine ; la chrétienté peut aussi servir de base à une identité commune. Comme c'est le cas de plusieurs républicains conservateurs, il manifeste son adhésion à la motion du 21 mai 2008[1], qui a exprimé le refus de retirer le crucifix du Salon bleu[2] voté à l'Assemblée nationale, malgré la suggestion du rapport Bouchard-Taylor proposant que l'objet soit «replacé dans l'Hôtel du Parlement à un endroit qui puisse mettre en valeur sa signification patrimoniale[3]».

Craignant l'escalade d'une chasse aux marqueurs historiques, Guy Durand répond à la volonté d'éliminer les symboles du christianisme en soulignant leur omniprésence au sein des symboles collectifs, qu'ils soient politiques ou culturels :

---

1. Quelques heures après la publication officielle du rapport Bouchard-Taylor, l'Assemblée votait la motion qui soulignait que : «L'Assemblée nationale réitère sa volonté de promouvoir la langue, l'histoire, la culture et les valeurs de la nation québécoise, favorise l'intégration de chacun à notre nation dans un esprit d'ouverture et de réciprocité, et témoigne de son attachement à notre patrimoine religieux et historique représenté notamment par le crucifix de notre Salon bleu et nos armoiries ornant nos institutions.» Communiqué du premier ministre du 22 mai 2008. http://www.premiere-ministre.gouv.qc.ca/actualites/communiques/index.asp.

2. «Québec garde le crucifix», www.radio-canada.ca, mise à jour le jeudi 22 mai 2008. www.radio-canada.ca/nouvelles/National/2008/05/22/003-reax-BT-politique.shtml (consulté en 28 mars 2012). Cette volonté a été réitérée en 2011 comme le rapporte Jean-Marc Salvet dans «Le crucifix restera au Salon bleu», *Le Soleil*, 15 février 2011.

3. *Fonder l'avenir*, p. 270.

Faudrait-il alors supprimer nos armoiries, adoptées le 9 décembre 1939, où les fleurs de lys (or sur fond bleu), symboles des rois de France, sont au nombre de trois en l'honneur de la Sainte-Trinité [*sic*]? D'autant plus que la couronne et le léopard (or sur fond rouge) représentent la monarchie britannique, qui dirigeait le pays. Faudrait-il aussi supprimer notre drapeau, adopté encore plus récemment, le 21 janvier 1948, sous le même premier ministre Duplessis, qui est composé de quatre fleurs de lys en mémoire des origines françaises du Québec et d'une croix blanche représentant la loi chrétienne[4]?

La position des républicains conservateurs, représentée à travers les interventions de Guy Durand, s'oppose à une des valeurs clés des républicains civiques (eux aussi critiques du rapport Bouchard-Taylor), qui cherchent à étendre la séparation du religieux et du politique à tout ce qui rejoint l'univers institutionnel ou qui représente la collectivité québécoise. Cette entreprise laïcisante, qualifiée de *perfectionniste*, fait craindre au groupe conservateur une aseptisation identitaire des institutions et, plus largement, de l'espace commun québécois. Pour eux, les symboles chrétiens sont beaucoup plus qu'un décor. Ils matérialisent des liens mémoriels vers le passé et montrent la filiation menant jusqu'aux débuts de la présence française en Amérique du Nord. Cette charge historique qu'incarnent les symboles chrétiens ne devrait pas être oblitérée au nom d'une neutralité parfaite, car c'est l'univers symbolique nécessaire à toute communauté qui est en jeu. En ce sens, pour les penseurs conservateurs, la laïcité « stricte » ou « intégrale » avancée par la famille des penseurs républicains civiques constitue un modèle exagéré.

À ce titre, Fernand Dumont – un sociologue et théologien souvent cité par des auteurs républicains conservateurs lors de la controverse sur la laïcité québécoise – s'inquiétait déjà dans les années 1990 des discours exigeant une neutralité totale au sein des institutions. Alors que commençaient les débats pour achever les propositions

---

4. Durand, Guy (2011). *La culture religieuse n'est pas la foi : identité du Québec et laïcité*. Montréal : Éditions des Oliviers, p. 6.

du rapport Parent à propos de la déconfessionnalisation de l'enseignement au Québec, il trouvait que :

> [...] les plaidoyers pour l'école laïque ne peuvent nous dissimuler
> l'ampleur des problèmes qui vont bientôt surgir. Partons d'une
> hypothèse : un jour prochain, nous aurions purgé l'école québécoise
> de toute influence religieuse ; la neutralité régnerait-elle pour
> autant sans partage ? La religion n'est pas seule à reposer sur des
> valeurs qui ne rallient pas l'unanimité ; il n'en va pas autrement
> pour la littérature, la philosophie, la science elle-même. Comment
> faire pour introduire partout la neutralité la plus parfaite sans
> transformer l'école en un milieu aseptique et irrespirable, sans en
> éliminer toute intention d'éducation, sans déguiser les enseignants
> en machines distributrices ? N'arriverait-on pas, en définitive, à
> abolir les consciences sous prétexte de les respecter ? L'hypothèse
> n'est pas aussi farfelue qu'il le paraît[5].

Ce n'est pas pour rien si les républicains conservateurs ont été
qualifiés de penseurs « néo-dumontiens[6] », car Fernand Dumont a
beaucoup cherché à définir le nationalisme québécois sur une base
culturelle[7]. Selon lui, il peut y avoir une distinction entre l'État et la
nation. Le premier se conçoit comme une communauté politique,
alors que la seconde est une communauté de référence où entre en
jeu le sens commun, façonnée par l'accumulation d'expériences
d'une personne au sein de la société. Cette communauté de référence
guiderait les choix des sociétés, les goûts culturels et dessinerait les
grands traits d'un peuple qui se considère comme tel indépendamment
de son statut constitutionnel. Cela expliquerait l'attachement à une
même nation pour des gens qui habitent différents pays, provinces
ou régions comme ce fut le cas des Canadiens français, mais aussi
des membres des nombreuses diasporas dans le monde.

---

5. Dumont, Fernand (1997). *Raisons communes*. Montréal : Boréal, p. 230-231.

6. Maclure, Jocelyn (2008). « Le malaise relatif aux pratiques d'accommodement de la diversité religieuse : une thèse interprétative ». Dans *L'accommodement raisonnable et la diversité religieuse à l'école publique : normes et pratiques*. McAndrew, Marie, Micheline Milot, Jean-Sébastien Imbeault et Paul Eid (dir.). Québec : Presses de l'Université Laval, p. 219.

7. Dumont, Fernand (1993). *Genèse de la société québécoise*. Montréal : Boréal, 393 pages. Dumont, Fernand (1997). *Raisons communes*. Montréal : Boréal, 260 pages.

Selon Guy Durand, pour préserver les racines qui nourrissent l'identité québécoise, il faut procéder à l'inverse d'une guerre aux symboles historiques : « […] à l'heure où la mondialisation tend à niveler toutes les particularités, cette volonté du Québec d'affirmer, de protéger et de promouvoir son identité apparaît plutôt normale et saine[8]. » Ce juriste et théologien retraité de l'Université de Montréal cite souvent en exemple des auteurs comme Jacques Grand'Maison ou Jean-Claude Guillebaud. Dans *Comment je suis redevenu chrétien*, ce dernier, en paraphrasant René Girard, accorde un rôle vital au christianisme pour les sociétés occidentales en affirmant que : « C'est ce qui reste de chrétien en elles qui empêche les sociétés modernes d'exploser[9]. »

Tout cela permet de montrer que, pour les républicains conservateurs, la laïcité est une démarche acceptable dans la mesure où elle n'ira pas trop loin, c'est-à-dire à condition qu'elle soit enracinée.

4.2 À LA DÉFENSE DE LA CHARTE DES VALEURS, UNE LAÏCITÉ « PATRIMONIALE »

Le refus des républicains conservateurs d'avaliser une laïcité intégrale, chère aux républicains civiques, trouve ses justifications dans une lecture de l'histoire de la laïcité. Pour eux, un modèle de laïcité doit être enraciné dans le passé d'un peuple. L'objection au *déni de soi* est une fréquence qu'on entend souvent au sein de la nébuleuse des penseurs conservateurs. Plusieurs des auteurs de ce groupe établissent même un lien de filiation entre la laïcité et le christianisme. C'est l'avis de Louis-Philippe Messier pour qui « L'humanité doit constamment s'arrimer, s'ancrer, se ressourcer (aux origines), pour évoluer sans se renier[10] ». Ainsi, considérant la démarche laïque comme nécessaire et moderne, il faudrait avancer sans refuser de regarder en arrière, car, selon lui, « Une modernité intelligente consolide et honore

---

8. Guy Durand, « Le crucifix de l'Assemblée nationale », *La Voix de l'Est*, 24 février 2010.

9. Guillebaud, Jean-Claude (2007). *Comment je suis redevenu chrétien*. Paris : Albin Michel, p. 57.

10. Messier, Louis-Philippe. « Le crucifix contre la Passion : "Notre laïcité sera enracinée ou ne sera pas" ». *Argument*, 10 septembre 2013, exclusivité web, www.revueargument.ca/article/2013-09-10/592-le-crucifix-contre-la-passion-notre-laicite-sera-enracinee-ou-ne-sera-pas.html.

son propre socle patrimonial afin de se renforcer elle-même[11] ». Lucia Ferretti abonde dans le même sens en affirmant que la laïcité défend des valeurs qui sont le fruit de l'évolution historique des sociétés chrétiennes : « L'idée d'égalité entre les hommes et les femmes n'est pas née ailleurs que dans les pays de civilisation chrétienne[12]. » Cela explique aussi pourquoi le retrait du crucifix irait trop loin, car « ce serait effacer un autre lien avec notre histoire. Car la signification de ce crucifix, quoi qu'on en dise, ne se réduit pas au duplessisme. Elle renvoie à notre culture pluriséculaire[13] ».

Ce même constat s'observe, entre autres, chez Jacques Grand'-Maison, qui considère que la laïcité trouve ses sources dans l'humanisme qui l'a précédée plutôt que dans des principes simples comme la séparation ou la neutralité. Parlant des « relents scientistes positivistes » d'un *laïcisme intégriste des disciples de Concordet*, il fait valoir que : « Le discours sur la laïcité au Québec est trop souvent ignare de la longue histoire fort complexe qui la précède, et qui a beaucoup à voir avec celles de l'humanisme et aussi de l'évolution historique du christianisme[14]. » En somme, c'est la question de la conciliation entre laïcité, modernité et histoire chrétienne qu'il faut poser, selon lui, car aucune de ces variables ne doit être réduite à zéro si l'on veut préserver l'identité propre du Québec et nous assurer collectivement un avenir empreint de sens. C'est ce qui fait dire à Guy Durand que :

> L'oubli ou le rejet de ses racines, notamment au Québec les racines chrétiennes, risquent d'entraîner le vide moral et spirituel de la civilisation, lequel engendre anomie, relativisme, nihilisme, cynisme. De plus en plus d'observateurs dénoncent ces traits de notre civilisation[15].

---

11. *Ibid.*

12. Ferretti, Lucia. « Charte des valeurs québécoises – Séparation oui, neutralité, non », *Le Devoir*, 10 septembre 2013.

13. *Ibid.*

14. Grand'Maison, Jacques (2007). *Pour un nouvel humanisme*. Montréal : Fides, p. 76.

15. Durand, Guy (2011). *Op. cit.*, p. 28.

Le christianisme apparaît encore plus essentiel et nécessaire pour une frange des auteurs républicains conservateurs. C'est particulièrement le cas de Jean Tremblay, maire de la ville de Saguenay, qui, dans un mémoire déposé au nom de sa ville lors de la commission Bouchard-Taylor, a défendu la pratique de la prière avant le début de chaque conseil municipal :

> Aucune raison valable n'empêche, lorsque des conditions favorables s'y prêtent, de prier dans un conseil de ville, pour solliciter de Dieu son aide pour la prise de décisions les plus éclairées. Cela n'est pas une intrusion de l'Église, mais l'affirmation toute simple d'une foi commune[16].

On associe souvent le « Québec » représenté par Jean Tremblay à une portion de la population du « Québec rural », au « Québec des régions » ou au « Québec profond », à une population majoritaire, homogène, blanche et d'origine canadienne-française qui est demeurée attachée à l'héritage chrétien. C'est ce qui fait dire à Joseph Facal que « la majorité de la population, celle qu'on a pris l'habitude d'appeler au Québec le "vrai monde", reste attachée à une représentation moins éthérée, plus concrète et plus traditionnelle d'elle-même, de sa nation, de sa société[17] ».

Jean Tremblay confère en conséquence à l'État le devoir de préserver la nature chrétienne de l'identité et des valeurs de la société à laquelle il appartient en lui accordant une présence dans les institutions du Québec[18]. Dépourvue d'intention prosélyte, cette volonté ne vise pas la conversion de la diversité à une chapelle particulière. Selon lui, puisqu'il s'agit d'une volonté majoritaire, ce trait culturel et identitaire a droit de présence symbolique dans l'espace collectif, même délibératif, et une démocratie digne de ce nom doit respecter un tel attachement.

---

16. Ville de Saguenay (2007). *Mémoire sur les accommodements raisonnables*. Présentation de Jean Tremblay. Québec : Anne Sigier, p. 91.

17. Facal, Joseph (2010). *Quelque chose comme un grand peuple*. Montréal : Boréal, p. 99.

18. Ville de Saguenay (2007). *Op. cit.*, p. 38.

Comme cela sera approfondi dans les sections qui suivent, on note donc chez les auteurs qui manifestent des traits républicains conservateurs un vocabulaire enraciné dans le temps. Il est en effet question de civilisation occidentale, d'histoire, de chrétienté, de symboles, de racines religieuses, bref de continuité. Guy Durand emploie la formule qui représente le mieux la position de ce groupe en demandant une laïcité *réaliste* qui tient compte des besoins de la société et qui n'est donc pas uniquement à l'écoute des droits individuels, mais aussi des *droits collectifs*. Ceci implique d'accepter la légitimité de l'affirmation identitaire de la communauté politique au sujet des symboles collectifs, même lorsqu'ils sont du registre religieux. En d'autres mots, la laïcité doit s'ajouter à l'édifice démocratique sans chercher à faire sauter quelques étages construits précédemment : « […] la laïcité admet des modèles multiples qui […] tiennent tous compte de l'histoire, de la sociologie et de la situation politique du pays[19] ». Tout comme il existe plusieurs modèles démocratiques et qu'aucun pays ne peut en être considéré comme l'unique propriétaire, plusieurs parcours mènent à la laïcité. En d'autres mots, chaque régime laïque dégage une identité.

4.3 DES POLITIQUES IDENTITAIRES AU SERVICE D'UN SENS COMMUN

Dans une lettre collective, signée par Simon-Pierre Savard-Tremblay et d'autres auteurs, des républicains conservateurs défendent la charte des valeurs *telle quelle*, car elle « reconnecte avec le sens de l'État et de l'Histoire ». Selon eux, ce projet de loi ne représente rien de moins qu'« un projet d'ensemble visant l'établissement de notre culture nationale comme référence commune[20] ».

L'interprétation d'Éric Bédard s'aligne sur cette même conception voyant le projet de loi 60 très positivement comme une synthèse originale entre la culture politique du Québec et son histoire. Par ailleurs, cette charte serait préférable à celle souhaitée par les républicains

---

19. Durand, Guy (2011). *Op. cit.*, p. 68.
20. Collectif, « La Charte des valeurs, étape cruciale de notre réaffirmation culturelle », *Le Devoir*, 5 septembre 2013.

civiques, qu'il assimile à des « jacobins d'aujourd'hui [qui] voudraient instaurer une laïcité revancharde qui permettrait enfin de liquider les symboles religieux du passé et par le fait même de tourner le dos à tout un pan de notre histoire[21] ». Éric Bédard se fait même explicite sur les liens entre conservatisme et charte des valeurs : « La sensibilité républicaine de la charte des valeurs québécoises est donc modulée par un conservatisme identitaire qui rechigne aux ruptures trop radicales avec le passé [...] Même si les Québécois pratiquent peu ou plus du tout, plusieurs continuent de considérer la religion catholique comme un marqueur identitaire et ne souhaitent pas dépouiller nos édifices et nos places publiques des symboles de ce passé[22]. »

Cette volonté de faire un lien entre les politiques identitaires, comme c'est le cas de la laïcité, et l'histoire nationale repose sur une conception conservatrice de l'éthos politique. On peut définir l'éthos comme la manière d'être de quelque chose (d'un individu, d'un groupe, d'une institution). Ainsi, pour les républicains conservateurs, l'éthos des institutions politiques fait en sorte que les lois doivent manifester une cohérence avec l'identité de la communauté nationale. En d'autres mots, une nation solidement constituée ne peut être le résultat d'un simple contrat civique, car la cohésion des valeurs des membres d'une société ne s'obtient pas seulement sur une base négociée résultant de la bonne volonté des gens qui se rencontrent. Ferdinand Tönnies[23] a distingué la société (*Gesellschaft*), qui représente l'entièreté des individus dans un espace défini, de la communauté (*Gemeinschaft*), qui représente plutôt une familiarité de pensée et de vision du monde. Selon la vision de l'éthos politique des républicains conservateurs, il est donc non seulement légitime, mais nécessaire que les lois cherchent à unifier autant que possible la société avec la communauté.

---

21. Bédard, Éric. « Pour la charte des valeurs québécoises ». *Argument*, 10 septembre 2013, exclusivité web, www.revueargument.ca/article/2013-09-10/582-pour-la-charte-des-valeurs-quebecoises.html.

22. *Ibid.*

23. Tönnnies, Ferdinand (1944). *Communauté et société : catégories fondamentales de la sociologie pure.* Paris : Presses universitaires de France, traduction de J. Leif. 248 pages.

Cela fait en sorte que les républicains conservateurs se reconnaissent dans les mots de Paul Ricœur, pour qui le bien commun ne peut être consensuel que s'il est précédé dans le temps par l'existence d'un *sens commun* issu d'un héritage collectif. Ricœur concevait en effet que : « La société a besoin que soient présents, sous la forme d'une sorte de tuilage, ses différents héritages spirituels et culturels ; ce sont eux qui motivent le civisme[24]. »

Ainsi, le développement de ce sens commun ne peut se faire qu'en dépassant la simple promotion de valeurs juridiques et politiques comme l'égalité des sexes ou la séparation de l'Église et de l'État. Les politiques publiques doivent réunir les citoyens autour de quelque chose de singulier, et seule l'histoire du Québec (dans ses dimensions politique, culturelle et sociale) constitue ce que le Québec a de plus particulier et d'unique au monde. En d'autres mots, le but des politiques publiques n'est pas que de décider de l'administration du trésor de l'État, elles doivent aussi transmettre des sensibilités québécoises qui ont été façonnées par l'histoire et qui donnent une personnalité collective à la communauté politique du Québec. En ce sens, pour les républicains conservateurs, il faut transmettre plus que la langue française, mais aussi la mémoire et les sensibilités qui lui sont liées dans le contexte québécois, par exemple la sensibilité de la fragilité du français en Amérique du Nord, de façon à ce que les nouvelles générations et les immigrants défendent aussi ardemment la loi 101 que les « Québécois de souche » qui l'ont mise en place dans les années 1970.

4.4 UN « NOUS » CULTUREL QUI DÉPASSE LA CONCEPTION CIVIQUE DE LA NATION

Cette résistance à une laïcité stricte (chère aux républicains civiques) et à une laïcité ouverte (chère aux penseurs libéraux) dépasse le simple désir de préserver l'identité chrétienne du Québec. Même s'il en est une composante importante, le christianisme n'est pas la valeur dominante chez les républicains conservateurs. Cela explique pourquoi plusieurs

---

24. *Le Monde des livres*, 10 juin 1994, cité dans Dumont, Fernand (1997). *Raisons communes*, p. 230.

auteurs de ce groupe n'ont fait aucune référence au christianisme dans leurs critiques du rapport Bouchard-Taylor. C'est plutôt la nation qui sert de frontière autour de cette nébuleuse. Or, la conception qu'ils se font de celle-ci diverge notablement de celle des républicains civiques.

Le trait dominant de la pensée des républicains conservateurs se caractérise par la mise en valeur d'une conception culturelle de la nation. Cette base culturaliste de l'identité québécoise s'est manifestée par le retour d'un «nous» québécois lors de la controverse sur la laïcité; en particulier pendant des débats entourant la commission Bouchard-Taylor et la charte des valeurs.

On remarque d'abord cette tentative de revalorisation de la substance culturelle de la nation québécoise chez Jacques Beauchemin. Le «nous» québécois, rappelait-il, «a un cœur, un noyau, hérité de quatre siècles d'histoire en Amérique[25]». Bien que nécessaire, le nationalisme civique est considéré comme incomplet parce qu'il n'est qu'un étage de l'édifice qui abrite une nation. Des sources culturelles existent et correspondent aux éléments vitaux qui donnent un visage à un *être collectif*. On voit, de nouveau chez cet auteur[26], le rappel des limites de la conception rousseauiste de la communauté politique et la compatibilité certaine avec la pensée de Fernand Dumont.

La revalorisation d'un «nous» québécois est conçue par plusieurs voix républicaines conservatrices comme un procédé pour résister à la fragmentation de la communauté politique décrite par Jacques Beauchemin dans la *Société des identités*[27]. Cette fragmentation correspond, selon cet auteur, à un état de société dans lequel les diverses revendications des groupes minoritaires et des individus isolés affaibliraient l'unité nationale. Quoique entièrement légitime,

---

25. Robitaille, Antoine. «Le "nous", c'est lui. Pauline Marois s'est largement inspirée du sociologue Jacques Beauchemin», *Le Devoir*, 24 septembre 2007.

26. Ce thème était déjà présent dans un autre livre de Jacques Beauchemin, *L'histoire en trop : la mauvaise conscience des souverainistes québécois*. Montréal : VLB, 2000, dont le chapitre IV s'intitule d'ailleurs «Dire "nous" au Québec».

27. Beauchemin, Jacques (2007). *La société des identités : éthique et politique dans le monde contemporain*. Outremont : Athéna, 224 pages.

l'accumulation des luttes sociales, que ce soit celles des femmes, des homosexuels, des groupes culturels ou ethniques et des individus opposés à l'État, aurait pour effet d'affaiblir le sentiment d'unité nationale des citoyens d'un même État. En d'autres mots, la *société des identités* ressemblerait à une communauté politique dans laquelle les citoyens ne s'intéresseraient plus aux enjeux nationaux du peuple en entier, mais seulement à ceux qui les concernent directement en tant qu'individus ou comme membres d'un groupe particulier. Ainsi, les républicains conservateurs s'opposent à la laïcité ouverte, car, toute compatible qu'elle soit avec l'accommodement raisonnable et les traitements différenciés, elle favoriserait cet étiolement de la solidarité nationale au bénéfice des communautés subnationales et des droits individuels.

Charles-Philippe Courtois, de son côté, considère que la nation découle d'une volonté qui «repose sur une mémoire et un vouloir-vivre ensemble[28]». Ce dernier se réfère à Ernest Renan, qui soutient que ni la langue, ni l'ethnie, ni la religion, ni la géographie, ni leur réunion ne permettent de discerner une nation d'une autre. Ne se limitant pas à des données démographico-territoriales, les frontières des nations peuvent être détectées plus subtilement par un lien entre deux constituantes :

> L'une est dans le passé, l'autre dans le présent. L'une est la possession en commun d'un riche legs de souvenirs ; l'autre est le consentement actuel, le désir de vivre ensemble, la volonté de continuer à faire valoir l'héritage qu'on a reçu indivis. […] La nation, comme l'individu, est l'aboutissement d'un long passé d'efforts, de sacrifices et de dévouements. Le culte des ancêtres est de tous le plus légitime ; les ancêtres nous ont faits ce que nous sommes. Un passé héroïque, des grands hommes, de la gloire […], voilà le capital social sur lequel on assied une idée nationale. Avoir des gloires communes dans le passé, une volonté commune dans le présent ; avoir fait de

---

28. Courtois, Charles-Philippe (2010). «La nation québécoise et la crise des accommodements raisonnables : bilan et perspectives». *Revue internationale d'études canadiennes*, nº 42, p. 283-306. Gagnon, Alain-G. (2000). «Plaidoyer pour l'interculturalisme». *Possibles*, vol. 24, nº 4, p. 286.

grandes choses ensemble, vouloir en faire encore, voilà les conditions essentielles pour être un peuple[29].

Charles-Philippe Courtois interprète positivement la conception de Renan parce qu'il « insiste sur la nécessaire mémoire partagée, critère qui renvoie à une forme d'identité commune [qui] rappelle l'adhésion à une culture seconde que l'école républicaine pourvoie [*sic*] et qui constitue la culture commune[30] ». On comprend d'autant mieux le rejet qu'il réserve aux conclusions du rapport Bouchard-Taylor parce que ledit document lui paraît notablement teinté des couleurs infinies du cosmopolitisme qui promeut l'égalité absolue de toutes les mémoires et identités dans la cité :

> Aujourd'hui, certains défenseurs d'une théorie des droits de l'homme fondée sur le droit naturel, cosmopolites, soutiennent une conception procédurale de la démocratie libérale qui tend à faire abstraction du peuple et de son autodétermination, donc de ce qui est proprement démocratique. Une conception procédurale du politique peut s'articuler à partir du sujet de droit du libéralisme. Une conception centrée sur les droits individuels nous paraît marquer les commissaires Bouchard-Taylor et les experts qu'ils se sont adjoints, imprégnés de surcroît de la conception multi-culturaliste de l'égalité différenciée[31].

On peut donc résumer que, chez les républicains conservateurs, la nation repose d'abord sur du commun plutôt que sur du différent. Néanmoins, les assises d'une nation ne peuvent pas se construire uniquement sur des valeurs politiques, comme le souhaitent chèrement les républicains civiques, ni en accordant le primat à la diversité, comme le souhaitent les penseurs libéraux (qui seront analysés dans le prochain chapitre). Pour les républicains conservateurs, la réunion au sein d'une communauté nationale passe inévitablement par la reconnaissance de la singularité historique de la collectivité québécoise. Les traits de cette spécificité nord-américaine projettent les

---

29. Renan, Ernest (1997). *Qu'est-ce qu'une nation ?* Paris : Mille et une nuits, p. 31.

30. Courtois, Charles-Philippe (2010). « La nation québécoise et la crise des accommodements raisonnables : bilan et perspectives ». *Op. cit.*, p. 292-293.

31. *Ibid.*, p. 287.

formes d'une mémoire collective faite de souvenirs, d'oublis, de mythes, de blessures, de sentiments par rapport au passé, qui, en retour, conditionnent la vision qu'ont les gens des événements du présent.

4.5 PRIMAT À LA CONTINUITÉ : MÉMOIRE ET HISTOIRE COMME CIMENT DE L'IDENTITÉ COLLECTIVE

La continuité est le terme qui résume le mieux les multiples discours associés aux républicains conservateurs. En un sens, la mémoire et l'histoire collectives représentent les deux avenues les plus empruntées pour se rendre au cœur de cette famille de pensée.

L'idée de continuité, lorsque considérée dans une perspective identitaire, se fonde sur une interprétation du récit historique qui fait un lien entre les différentes périodes du « nous » collectif. Il y a d'abord eu le *« nous » des Canadiens,* allant de la fondation de la Nouvelle-France jusqu'à l'Acte d'Union (1840) et aux Actes de l'Amérique du Nord britannique (1867). Ensuite, l'appellation commune a glissé vers un *« nous » Canadien français* jusqu'aux années 1960. Finalement, une dernière désignation collective a fini par s'installer en position de monopole au Québec : le *« nous » Québécois,* issu du néonationalisme[32] de la Révolution tranquille ; un nationalisme principalement civique qui a fragmenté l'unité politique de la francophonie canadienne.

Malgré toutes les différences de foi, de cultures ou d'idéologies qui séparent les Québécois d'aujourd'hui de leurs ancêtres (Canadiens français et Canadiens de l'Ancien Régime), cet attachement à la continuité se traduit chez les républicains conservateurs par la reconnaissance d'un héritage qui s'est transmis entre ces différentes périodes. Selon ces derniers, cette volonté d'interpréter le parcours collectif des Québécois d'aujourd'hui à partir d'une trame qui fait le lien entre le passé et le présent a été mise en arrière-plan dans le rapport des commissaires.

---

32. Ce découpage des trois phases du nationalisme francophone a été abondamment étudié au Québec depuis 30 ans par Fernand Dumont, Léon Dion, Marcel Rioux, Denis Monière, Gilles Bourque et plusieurs autres. Canet, Raphaël (2003). *Nationalismes et société au Québec.* Outremont : Athéna, p. 135-136.

Pour Nicole Gagnon, historienne du catholicisme québécois, « le Québec est le seul endroit au monde où fleurit telle chose qu'une culture québécoise-française, il n'y a rien d'indécent à lui reconnaître la prépondérance ou même des droits[33] ». Considérant conséquemment la langue française comme un droit historique des Québécois, elle juge, en prolongeant ce principe, qu'il est légitime d'imposer à la diversité québécoise une nécessaire intégration à l'identité du groupe majoritaire. Cela explique en bonne partie son désaccord avec le cours Éthique et culture religieuse, qui est présenté dans le rapport Bouchard-Taylor comme une application de plusieurs principes et valeurs défendus dans le document en question.

Historiquement, soutient Gagnon, la part des petits groupes formant la diversité québécoise est trop faible pour qu'on lui accorde une place aussi démesurée que dans le programme ÉCR de 2008 :

> Encore en 1867, les Juifs étaient à peine quelques centaines à Montréal et ils étaient trop occupés à s'organiser en communauté pour songer à se commettre sur la place publique. [...] je vois bien une importante minorité juive dans la société, mais pas grand judaïsme dans l'héritage culturel du Québec – à part peut-être quelques synagogues dans le paysage montréalais[34].

De plus, elle souligne que l'intégration n'est pas qu'une affaire de bonne volonté. Le processus n'est pas achevé même après avoir obtenu un travail, un logement et des droits :

> L'intégration comporte cependant d'autres dimensions, qui échappent en bonne part aux incitatifs du pouvoir : s'exposer suffisamment aux médias francophones pour être en mesure d'avoir une opinion personnelle sur les enjeux politiques, au lieu de s'en remettre à un vote ethnique préconisé par les représentants officiels de sa « communauté culturelle » ; se construire un réseau social qui déborde les cadres de son groupe d'origine. Ici, on ne peut guère tabler que sur la bonne volonté immigrante. La nation, finalement,

---

33. Gagnon, Nicole (2008). « De l'interculturalisme », note critique sur Leroux, Georges (2007). *Éthique, culture religieuse, dialogue. Arguments pour un programme* ; et sur Bouchard et Taylor (2008). *Fonder l'avenir. Le temps de la conciliation*. Dans *Recherches sociographiques*, vol. 49, n° 3, p. 531.

34. *Ibid.*, p. 528.

a une exigence plus forte : l'assimilation, non pas des immigrants eux-mêmes, qui arrivent pétris de leur expérience personnelle et de leurs « habitudes du cœur » (Tocqueville), mais de leur descendance – distinction qu'escamote encore le Rapport dans sa définition de « l'assimilationnisme ». L'école peut y travailler, en évacuant les petits drapeaux ethniques et le cours d'histoire conçu comme celle des différents groupes ethnoculturels. [...] Le Québec n'étant pas une puissance coloniale qui se serait implantée dans le pays des immigrants, il peut se permettre sans état d'âme d'entretenir tous les écoliers de « nos ancêtres les Gaulois » (y inclus les Amérindiens[35]).

Cette impression de rupture dans le rapport Bouchard-Taylor et dans le programme ÉCR est aussi dénoncée par d'autres penseurs de la famille des républicains conservateurs. En lisant le *Manifeste pour un Québec pluraliste*, signé surtout par les défenseurs du rapport Bouchard-Taylor, Mathieu Bock-Côté dénote l'ambition d'« effacer l'ancienne trame de la continuité nationale pour éviter qu'elle ne soit mobilisée dans une tentative de restauration du Québec historique[36] ».

D'autres voix vont dans le même sens. Pour Jacques Beauchemin, le rapport incarne une tendance très forte au Québec, fondée sur un discours social « obsédé par l'Autre, la diversité et par un vivre ensemble fait de reconnaissance mutuelle et d'accommodement de la différence. À l'inverse, il se méfie de l'histoire, de la mémoire, de la culture majoritaire et de l'expression d'un "nous" porteur d'une conscience historique[37] ». De nos jours, constate-t-il, on se réfère plus souvent au passé en des termes dépréciatifs. Selon lui, le rapport s'inscrit dans cette tendance qui concourt à l'oubli de la majeure partie de l'expérience historique et ressemble à une *pratique de la terre brûlée mémorielle*[38]. Cela est autant une cause qu'une conséquence

---

35. *Ibid.*, p. 532.

36. Bock-Côté, Mathieu (2010). « Le multiculturalisme en débat : retour sur une tentation thérapeutique ». *Bulletin d'histoire politique*, vol. 18, nᵒ 3, p. 237.

37. Jacques Beauchemin, « Au sujet de l'interculturalisme. Accueillir sans renoncer à soi-même », *Le Devoir*, 22 janvier 2010.

38. Beauchemin, Jacques (2011). « 50 ans de Révolution tranquille, quand les Québécois pratiquent la terre brûlée mémorielle ». *Bulletin d'histoire politique*, vol. 19, nᵒ 3, p. 94-97.

de la crise de la mémoire nationale, écartelée par le souhait d'inclure le plus possible la diversité dans le cadre de la nation. Pour Beauchemin, « l'histoire s'ouvre ainsi à tout venant[39] » et procède à la mise au rancart de la particularité qui a fait la différence québécoise au cours des quatre derniers siècles. Ceci se traduit surtout par une fermeture, une haine même, à l'égard de l'héritage antérieur à la Révolution tranquille.

Mathieu Bock-Côté voit dans la commission Bouchard-Taylor l'institution d'un pluralisme identitaire qui efface le substrat culturel propre au Québec, niant ainsi ce qui le distingue des autres communautés politiques. Pour les intellectuels du groupe républicain conservateur, l'héritage d'une expérience historique multiséculaire doit être l'élément « agrégateur » des membres de la société québécoise, qu'ils soient « de souche » ou non. La volonté d'élargir le plus possible les frontières de l'identité nationale, comme le souhaitent le rapport final et les travaux antérieurs de Gérard Bouchard[40], est lue par les auteurs cités dans ce chapitre comme le programme d'un effacement de soi au nom d'une diversification culturelle accélérée, ce qui amoindrirait sans cesse la distinction québécoise.

4.6 RÉCONCILIATION AVEC L'HÉRITAGE ANTÉRIEUR AUX ANNÉES 1960

La volonté de faire continuité, chère aux républicains conservateurs, s'est traduite dans les débats par un refus de rejeter en bloc l'héritage pré-1960 du Québec. Les controverses étant ainsi, le débat sur le rapport Bouchard-Taylor s'est mêlé à celui des 50 ans de la Révolution tranquille ; le tout donnant naissance à une sorte de combat pour une interprétation plus nuancée de l'histoire collective. Les auteurs de la présente famille de pensée ont insisté sur la nécessité de prendre une distance avec l'historiographie qui dépeint la période précédant la Révolution tranquille comme celle d'une « Grande Noirceur ».

---

39. Beauchemin, Jacques (2011a). « Le rapport à l'histoire dans la société des identités. La dette mémorielle comme enjeu ». Dans *Mémoire et démocratie en Occident : concurrence des mémoires ou concurrence victimaire*, Jacques Beauchemin (dir.), Bruxelles : P.I.E. – Peter Lang, p. 10.

40. Bouchard, Gérard (1999). *La nation québécoise au passé et au futur*. Montréal : VLB, 157 pages.

Les penseurs conservateurs perçoivent que le vocable «Grande Noirceur» traîne avec lui un ensemble de souvenirs essentiellement négatifs lié à une période présentée comme entièrement opposée aux Lumières, dominée par le clergé. Accusant un «retard» par rapport au reste du continent nord-américain, cette lecture présente un Canada français qui aurait refusé d'avancer dans la modernité. Rejetant cette interprétation, Jacques Beauchemin résume que, de nos jours, ce qu'on désigne comme la «Grande Noirceur» s'apparente à «un passé dont on ne [voit] plus que pesanteurs, retards et empêchements[41]». Sorte de Moyen Âge québécois ayant eu cours entre les rébellions des patriotes de 1837-1838 et 1960, les discours des «révolutionnaires tranquilles» auraient fait de la «Grande Noirceur» une sorte de mythe fondateur présenté comme le besoin d'opérer un divorce d'avec soi-même.

Contestataires de cette vision, les républicains conservateurs estiment que les acteurs glorieux de la Révolution tranquille ont assombri l'époque précédente dans le but de paraître comme de pures lumières de la modernité en contraste total avec le passé. Cette interprétation critique, basée sur une mythification des années pré-1960, est bien présente chez Jacques Rouillard:

> Les artisans de la Révolution tranquille qui ont combattu le régime Duplessis et le conservatisme clérical ont présenté une image honteuse de la société franco-québécoise d'avant le Grand Soir de 1960. Ses élites véhiculeraient alors un conservatisme réactionnaire basé sur une valorisation de la vie rurale et du catholicisme traditionaliste. [...] Ce récit s'est imposé dans la mémoire collective au point qu'il a acquis un caractère mythique. Et comme toute construction mythique, il déforme la réalité et propose un récit fabuleux plutôt qu'un raisonnement logique[42].

Sans reprendre intégralement la formule de Lionel Groulx, «notre maître, le passé[43]», on note malgré tout, parmi les voix du présent

---

41. Beauchemin, Jacques. «Le divorce d'avec soi-même», *La Presse*, 12 octobre 2010.

42. Rouillard, Jacques. «La mythique Révolution tranquille», *Le Devoir*, 28 septembre 2010.

43. Groulx, Lionel (1924). *Notre maître, le passé*. Montréal: Bibliothèque de l'Action française, 269 pages.

groupe, une certaine nostalgie d'une époque dans laquelle le lien social était plus solidement tissé. Selon Rouillard, cette dégradation « découle de l'éclatement des valeurs liées à la Révolution tranquille. L'avant-gardisme du Québec ne comporte pas que des avantages, il implique un coût social élevé[44] ».

Cette époque représente aussi un passé au sein duquel la nation et la communauté politique étaient bien plus unifiées qu'aujourd'hui. Le sens commun, plus partagé qu'il était entre les membres de la communauté politique, favorisait l'étendue de ce que Émile Durkheim appelle la *conscience collective* définie comme « l'ensemble des croyances et des sentiments communs à la moyenne des membres d'une société[45] ».

Pour les républicains conservateurs, il faut rejeter le lieu commun qui repose sur le contraste d'une « Révolution tranquille » ayant suivi une « Grande Noirceur ». Ce vocabulaire, jugent-ils, ne sert rien d'autre qu'une honte de soi injustifiée qui présente une fausse image aux héritiers de l'histoire nationale :

> Présentant une image honteuse du cheminement des francophones, ils ne se sentent aucune filiation avec un courant de pensée antérieur, ni aucun lien avec des devanciers. C'est à une coupure brutale avec leurs racines qu'ils invitent les Franco-Québécois. Le passé devient un repoussoir, une mauvaise conscience. Effaçons la mémoire pour créer un homme nouveau. Mais il n'était pas nécessaire de tout liquider. En 1960, l'histoire des francophones avait déjà un caractère de diversité et comportait une tradition démocratique[46].

Jacques Beauchemin constate aussi cette rupture qui s'est opérée depuis les années 1960. On a même tenté, selon lui, de construire le Québécois par la négation du Canadien français. Ceci résultait d'une volonté d'inventer un nouveau peuple dépourvu de racines identitaires :

---

44. Rouillard, Jacques. *Loc. cit.*
45. Durkheim, Émile (1996). *De la division du travail social.* Paris : Presses universitaires de France, p. 46.
46. *Ibid.*

La Révolution tranquille est alors le théâtre d'un étrange procès : celui de la culture canadienne-française dont on découvre au cours des années 50 et 60 qu'elle aurait été à la source des déboires de la collectivité. On n'en finira plus de s'abattre sur la religion, le clergé, la tradition et le régime duplessiste. C'est sans relâche que l'on refera l'histoire de nos misères et de nos défaites. Le Québécois s'érigera alors contre le Canadien français dans lequel il ne se reconnaîtra plus[47].

Les penseurs réunis dans cette section ne cherchent pas à réhabiliter le passé de l'ère de Maurice Duplessis marquée par le patronage, la loi du cadenas, la censure, etc. Ils militent plutôt pour que les Québécois acceptent que cette période a été une constituante indéniable du parcours collectif et que tout d'elle ne mérite pas d'être rejeté. C'est pourquoi Mathieu Bock-Côté dit qu'il faut réconcilier l'héritage de la Révolution tranquille avec la période qui l'a précédée[48], car la chose se révèle nécessaire si l'on souhaite s'inspirer du meilleur de l'histoire nationale pour donner confiance aux Québécois.

Cela passe aussi par le rejet des « idées reçues » de la non-modernité du Québec d'avant 1960 et de la conception selon laquelle le catholicisme était essentiellement une force antiprogressiste ou antimoderne. Raisonner ainsi correspondrait à nier que le catholicisme a été un véhicule important de la modernisation, même intellectuelle, du Québec. Comme le dit Jacques Rouillard, les transformations réunies sous le vocable de « Révolution tranquille »

> […] marquent évidemment un virage très important de l'évolution du Québec. Mais là où le bât blesse, c'est du côté de la représentation de l'histoire du Québec portée par les artisans de la Révolution tranquille pour les périodes antérieures à 1960. Ils l'ont présentée comme si l'idéologie cléricale régnait sans partage et que les élites laïques se seraient ralliées à cette vision conservatrice. Mais ce n'est pas ce qui ressort de la recherche historique depuis les années 1970[49].

---

47. Beauchemin, Jacques. « Le divorce d'avec soi-même ». *Loc. cit.*

48. Bock-Côté, Mathieu (2011). *Fin de cycle : aux origines du malaise politique québécois*. Montréal : Boréal, 174 pages.

49. Rouillard, Jacques. *Loc. cit.*

À cet égard, certains auteurs de cette famille de pensée mettent de l'avant le rôle qu'ont joué monseigneur Alphonse-Marie Parent (1906-1970), président de la commission Parent, et du prêtre jésuite Pierre Angers[50], dans la réforme du système d'éducation. On rappelle aussi l'ouverture à la modernité et au progrès du deuxième concile œcuménique du Vatican (1962-1965) et le courant catholique personnaliste[51] faisant l'éloge de l'émancipation individuelle. D'autres historiens situent l'émergence de la modernité au Québec 30 ans avant l'élection du Parti libéral de 1960[52].

De son côté, André Michaud souligne le manque de nuance qui marque le souvenir du régime de l'Union nationale[53]. Selon lui : « Duplessis, malgré l'autoritarisme [qu'on] lui reproche, a fait bâtir plus d'écoles sous sa gouverne que tous les autres premiers ministres avant et après lui[54] ». Et, comme le rapporte Denis Vaugeois, durant ses derniers mandats (de 1946 à 1956), « le salaire moyen avait plus que doublé[55] ». De plus, Duplessis a été l'initiateur d'un nationalisme affirmatif fondé sur l'autonomie provinciale, c'est-à-dire qu'il « luttera contre toute intrusion fédérale. Et il saura être convaincant[56] ! »

L'attention portée aux conflits de valeurs montre une fois de plus un point de rupture important entre les deux familles de penseurs républicains. La question de la continuité canadienne-française, de la réalité précédant la Révolution tranquille et de tout ce qui l'entoure consomme le divorce entre républicains conservateurs et républicains civiques. Pour ces derniers, il faut s'éloigner de cet héritage étant

---

50. Bédard, Éric (2010). « Les origines personnalistes du "renouveau pédagogique". Pierre Angers s.j. et *L'activité éducative* ». *Op. cit.*, p. 135-171.

51. Meunier, E.-Martin et Jean-Philippe Warren (2002). *Sortir de la grande noirceur : l'horizon personnaliste de la Révolution tranquille.* Sillery : Septentrion, 207 pages.

52. Lamonde, Yvan (2011). *La modernité au Québec : la crise de l'homme et de l'esprit.* Volume I. Montréal : Fides, 336 pages. Lamonde, Yvan et Esther Trépanier (2007). *L'avènement de la modernité culturelle au Québec.* Québec : Éditions de l'IQRC, 313 pages.

53. Maurice Duplessis a siégé comme premier ministre dans cinq législatures : la première de 1936 à 1939, les autres de 1944 à 1959.

54. Michaud, André. « La Grande Noirceur », *Le Devoir*, 4 octobre 2010.

55. Vaugeois, Denis. « La Grande Noirceur inventée », *Le Devoir*, 23 octobre 2010.

56. *Ibid.*

donné la place qu'occupait la religion dans la vie individuelle, collective et politique ; alors que pour les penseurs conservateurs, il faut cesser de refouler la mémoire que nous avons de cette période afin d'assumer pleinement l'identité québécoise qui survit aujourd'hui.

4.7 CONTRE L'INTERCULTURALISME, POUR UNE POLITIQUE DE CONVERGENCE CULTURELLE

Même si certains auteurs républicains civiques l'ont attaqué[57] et que d'autres l'ont défendu[58], l'interculturalisme n'a pas été un enjeu fondamental pour cette famille de pensée. Néanmoins, de leur côté, les républicains conservateurs ont procédé à une critique unanime et très développée de cette politique identitaire. Pour le rappeler, la paternité de l'interculturalisme ne revient pas aux auteurs du rapport Bouchard-Taylor. Néanmoins, selon les deux commissaires, même si ce modèle est « [s]ouvent évoqué dans des travaux universitaires[59], l'interculturalisme en tant que politique d'intégration n'a jamais fait l'objet d'une définition complète et officielle de la part de l'État québécois bien que ses principaux éléments constitutifs aient été formulés depuis longtemps[60] ». Cette situation fait en sorte que les

---

57. Cf. Mailloux, Louise (2014). *Une charte pour la nation*. Montréal : Éditions du Renouveau québécois, 174 pages. Cf. également Daniel Baril, « L'interculturalisme y est pour peu dans l'intégration », *Le Devoir*, 27 mai 2011.

58. Rocher, François et Micheline Labelle (2010). « L'interculturalisme comme modèle d'aménagement de la diversité : Compréhension et incompréhension dans l'espace public québécois ». Dans *La Diversité québécoise en débat : Bouchard, Taylor et les autres*. Gagnon, Bernard (dir.). p. 179-203.

59. On retrouve néanmoins quelques recherches qui ont tenté d'en approfondir les principes. Rocher, François, Micheline Labelle, Ann-Marie Field et Jean-Claude Icart (2008). *Le concept d'interculturalisme en contexte québécois : généalogie d'un néologisme*. Rapport présenté à la Commission de consultation sur les pratiques d'accommodement reliées aux différences culturelles. Montréal, décembre, 63 pages. Baril, Geneviève (2008). « L'interculturalisme : le modèle québécois de la gestion de la diversité ». Mémoire présenté comme exigence partielle en science politique à l'Université du Québec à Montréal, 127 pages. Gagnon, Alain-G. (2000). « Plaidoyer pour l'interculturalisme ». *Possibles*, vol. 24, nº 4, p. 11-25. McAndrew, Marie (1995). « Multiculturalisme canadien et interculturalisme québécois : mythes et réalités ». Dans *Pluralisme et éducation : politiques et pratiques au Canada, en Europe et dans les pays du Sud*, Marie McAndrew, Rodolphe Toussaint et Olga Galatanu (dir.). L'apport de l'éducation comparée. Actes du colloque de l'Association francophone d'éducation comparée, tenu à l'Université de Montréal, 10-13 mai 1994. Montréal : Université de Montréal, p. 33-51. Gagnon, Alain-G. et Raffaele Iaconivo (2007). *De la nation à la multination : les rapports Québec-Canada*. Montréal : Boréal, 264 pages.

60. *Fonder l'avenir*, p. 41.

commissaires ont appelé à un approfondissement des connaissances sur ce modèle[61].

Pour le rappeler, l'interculturalisme se veut différent du multiculturalisme officialisé au Canada à partir de 1971[62] et se veut aussi une solution de rechange au modèle français, considéré comme assimilationniste et défavorable aux cultures minoritaires ou immigrantes. Le rapport précise que ce modèle cherche à se situer entre deux pôles: « [...] d'un côté, la diversité ethnoculturelle et, de l'autre, la continuité du noyau francophone et la préservation du lien social[63] ». Pour reprendre le résumé qu'en fait le rapport de la Commission, l'interculturalisme:

a) institue le français comme langue commune
des rapports interculturels;

b) cultive une orientation pluraliste, soucieuse
de la protection des droits;

c) préserve la nécessaire tension créatrice entre, d'une part,
la diversité et, d'autre part, la continuité du noyau francophone
et le lien social;

d) met un accent particulier sur l'intégration et la participation; et

e) préconise la pratique des interactions[64].

Chez les républicains conservateurs, un premier axe critique s'ouvre au sujet de cette politique identitaire. Dans sa réaction au rapport, Jean-François Lisée juge que, malgré les ambitions sous-jacentes à l'interculturalisme, le document final de la Commission qui en fait la promotion n'a pas suffisamment tenu compte de la centralité de la majorité francophone. Y voyant ce qu'on pourrait qualifier de « périphérisation » de la nation, Lisée dit que les commissaires

---

61. *Ibid.*, p. 261.

62. « Les analystes conviennent généralement que le multiculturalisme au niveau fédéral, dans sa nature même et ses caractéristiques, s'est développé en trois phases: la naissance (avant 1971), la formation (1971-1981) et l'institutionnalisation (de 1982 à nos jours). » Cf. section B.1 dans Leman, Marc (1997). *Le multiculturalisme canadien*, Ottawa, Bibliothèque du Parlement, Service de recherche, 22 pages.

63. *Fonder l'avenir*, p. 119.

64. *Ibid.*, p. 121.

[…] dénoncent toute volonté de mettre le noyau francophone en quelque position centrale. Prédominance, prééminence, centre de convergence, tout cela est dénoncé comme « une forme d'assimilation douce à la culture canadienne-française ». Au contraire, dans leur modèle identitaire, ceux qui convergent sont « à parité entre eux ». Mis à part le français langue commune, rien de formel ne doit donner un supplément d'énergie à la majorité francophone. Canadiens-français, sikhs et juifs hassidiques sont des acteurs égaux du libre marché identitaire […]. Le noyau francophone détient l'avantage du nombre, cela devra – et aurait dû – lui suffire[65].

Cette critique permet de comprendre une chose : les républicains conservateurs jugent que la langue française ne peut suffire comme seul marqueur identitaire. L'ensemble de la distinction québécoise ne se limite pas à la loi 101. Le français est certainement un vecteur d'intégration, mais il ne faudrait pas s'y arrêter, car ce serait ignorer la nécessité d'intégrer la diversité – en particulier les immigrants – à la continuité historique propre du Québec.

Le français défini comme langue commune se trouve unanimement salué au sein des républicains conservateurs, mais beaucoup d'entre eux y voient une sorte de *multiculturalisme à la québécoise* qui évacue la nation (dans le sens culturel du terme) de la stratégie d'intégration. C'est, entre autres, le cas de Charles-Philippe Courtois, qui considère que la « commission Bouchard-Taylor, instituée par le gouvernement québécois, nous semble avoir proposé une voie de solution se rapprochant de l'intégration des normes canadiennes[66] ».

L'interprétation de Jacques Beauchemin abonde dans le même sens : l'effacement de la nation est au cœur du modèle d'intégration promu dans le rapport Bouchard-Taylor. La philosophie qui sous-tend l'interculturalisme est dominée, dit-il :

[…] par le consensualisme et l'ouverture à la différence, l'égalitarisme et le respect des droits fondamentaux [et] procède d'une

---

65. Lisée, Jean-François. « Les malades imaginaires », *La Presse*, 27 mai 2008.

66. Courtois, Charles-Philippe (2010). *Op. cit.*, p. 284.

certaine mise en retrait de la majorité. Sans surprise, le rapport insiste sur le fait qu'aucune identité ne saurait prétendre à une quelconque prééminence au Québec. Ne s'inscrit-il pas alors dans cette philosophie politique réfractaire à la majorité et suspicieuse devant ses volontés d'affirmation collective ? Ne participe-t-il pas de cet éthos dans lequel l'ouverture à l'autre invite à mettre en veilleuse toute volonté d'affirmation collective[67] ?

Pour assurer le succès de l'intégration, il lui semble nécessaire d'assumer que « [n]otre responsabilité collective vis-à-vis des nouveaux arrivants consiste à leur proposer un monde habitable fait de culture et d'une certaine tradition éthique formée dans les remous d'une histoire particulière[68] ».

Comme la plupart des intellectuels associés aux républicains conservateurs, Charles-Philippe Courtois préfère à l'interculturalisme l'ancienne politique de convergence culturelle mise de l'avant par le Parti québécois en 1978[69]. Cette dernière miserait, dit-il, sur « [la] culture seconde [...] qui constitue la culture nationale commune ; elle s'acquiert par l'instruction et ne dépend pas de critères de naissance. En matière d'unité culturelle, nous faisons donc référence à la notion de culture seconde exposée par Fernand Dumont[70] ». Ce dernier distinguait, en effet, la culture familiale, dite première, et la culture acquise à l'école, dite seconde[71], qui s'avère essentielle pour faire société. En ce sens, selon les républicains conservateurs, c'est à partir de cette deuxième culture qu'il faut construire un attachement à l'identité culturelle du Québec chez les néo-Québécois. Cet attachement passe par des mesures de renforcement de la culture québécoise et par sa diffusion. Cela explique en bonne partie pourquoi plusieurs auteurs conservateurs ont mené, à travers la Coalition

---

67. Beauchemin, Jacques. « Au sujet de l'interculturalisme. Accueillir sans renoncer à soi-même », *Le Devoir*, 22 janvier 2010.

68. *Ibid.*

69. Initiée par Camille Laurin, de son nom officiel : *La politique québécoise du développement culturel*, Québec, Éditeur officiel du Québec, 1978, deux volumes.

70. Courtois, Charles-Philippe (2010). *Op. cit.*, p. 291.

71. Dumont, Fernand (1968). *Le lieu de l'homme : la culture comme distance et mémoire*. Montréal : Éditions HMH, 233 pages.

pour l'histoire et la Fondation Lionel-Groulx, une offensive pour que soit augmenté l'enseignement de l'histoire nationale au niveau collégial[72] et pour réformer la façon dont est enseignée cette matière à l'école secondaire[73].

Le modèle de convergence culturelle est donc présenté par les penseurs conservateurs comme l'alternative au modèle identitaire canadien parce que, selon Charles-Philipe Courtois, «la loi sur le multiculturalisme et la clause interprétative de la Charte [canadienne des droits] en font un principe actif par lequel les institutions canadiennes encouragent le maintien d'identités ethniques issues de l'immigration[74]». En d'autres mots, pour cette famille de pensée, le modèle de convergence culturelle est jugé plus adapté au cas québécois, car il n'encouragerait pas le maintien des différences culturelles.

Le côté républicain de cette famille de pensée s'affirme donc dans ce principe qui cherche à intégrer la diversité à une communauté historique plutôt qu'en laissant libre cours à diverses formes d'association ou même d'isolement des membres de la société. La convergence culturelle viserait la réunion des différences en misant sur le commun et en maintenant en vie une mémoire partagée. Cela dépasse le simple patriotisme constitutionnel, qui cherche à réunir la communauté autour de valeurs civiques parce que le projet de culture de convergence veut favoriser l'acquisition de sensibilités particulières façonnées par l'histoire nationale.

Guillaume Rousseau a expliqué, dans une ébauche de loi, les fondements des formes que pourrait prendre le retour d'une politique de convergence culturelle québécoise en 2014. Pour lui, ce modèle est une réponse législative à «l'impératif de la préservation du statut majoritaire de la culture québécoise et de la langue française[75]». Cet

---

72. Bédard, Éric et Myriam D'Arcy (2011). «Enseignement et recherche universitaires au Québec: l'histoire nationale négligée». *Coalition pour l'histoire*, 38 pages.

73. Gervais, Lisa-Marie. «Vers un nouveau cours d'histoire nationale au secondaire», *Le Devoir*, 27 février 2014.

74. Courtois, Charles-Philippe (2010). *Op. cit.*, p. 293.

75. Rousseau, Guillaume (2014). «Pour une loi-cadre sur la convergence culturelle». Dans *Les Cahiers de la CRIEC*, n° 36, p. 83.

auteur explique, par ailleurs, que ces deux éléments «doivent demeurer largement majoritaires dans l'ensemble des régions du Québec[76]».

La politique de convergence culturelle proposée par Rousseau définit les termes du devoir d'intégration des nouveaux arrivants au Québec, précisant que le succès du processus repose davantage sur les efforts des immigrants que sur ceux des membres de la société d'accueil. Pour lui, la convergence culturelle est:

> Un processus continu marqué par la participation de tous, y compris des personnes appartenant à des minorités ethniques, à des institutions sociales fondées sur une langue commune. Ce processus favorise une adaptation réciproque, mais asymétrique, en ce sens que ces minorités sont appelées à faire des efforts d'adaptation culturelle plus grands que ceux consentis par la société d'accueil, le tout dans le but de partager des valeurs communes portées par la culture commune[77].

La transmission des valeurs opérée par la convergence culturelle passerait, entre autres, par la familiarisation avec les œuvres artistiques québécoises marquantes, comme on en retrouve en littérature, au cinéma et en musique. Dans la pratique, la réunion de la diversité à un même noyau identitaire québécois pourrait se faire par une promotion de *l'identité nationale* au sein des groupes minoritaires:

> [par la] distribution de petits drapeaux dans Montréal-Nord lors du jour du drapeau [*sic*]; [par la] célébration de la fête des Patriotes dans un secteur de Brossard où vivent plusieurs Québécois d'origine asiatique; [par l'organisation d'une] Francofête [*sic*] avec des Gatinois d'origine portugaise; [par la mise sur pied d'un] prix pour le cégépien allophone s'étant le plus distingué en littérature québécoise, etc[78].

Cette adhésion à la convergence culturelle chez les républicains conservateurs permettrait de contrecarrer l'insuffisance des principes

---

76. *Ibid.,* p. 85.
77. *Ibid.,* p. 86.
78. *Ibid.,* p. 87.

de l'interculturalisme, qui seraient limités, par exemple, au respect des chartes de droits individuels, à la démocratie et à l'égalité des sexes. Joseph Yvon Thériault argumente en ce sens en constatant le manque de particularité québécoise des valeurs qui sont au cœur du modèle identitaire du rapport Bouchard-Taylor :

> Que reprocher à ces valeurs ? Certes pas leur existence, car ce serait nous décrocher d'une modernité que très majoritairement, comme la plupart des immigrants, nous chérissons. C'est qu'elles sont très peu « québécoises », plutôt associées au socle des valeurs du républicanisme moderne. Par conséquent, elles participent très peu d'une certaine continuité avec une tradition nationale que la Commission elle-même souhaitait mettre de l'avant[79].

Le rapport Bouchard-Taylor a reconnu, à ce sujet, les mêmes objectifs ultimes de l'interculturalisme et du multiculturalisme : « [...] ces deux modèles, chacun à sa façon, représentent deux essais d'application de la philosophie pluraliste[80] ». Quoique le rapport ait tenu à présenter l'interculturalisme comme substantiellement différent et mieux adapté au Québec, Mathieu Bock-Côté trouve que les distinctions avancées sont exagérées. Il s'agit, dit-il, d'une « parade [qui] relève d'un jeu de définition qui n'est finalement qu'une stratégie d'esquive[81] ».

Selon ce dernier, tout comme le fait le multiculturalisme, l'interculturalisme procède à une centralisation des chartes de droits. Ce nouveau noyau, tenant le rôle d'épicentre des valeurs de la nation québécoise, ne saurait être transcendé par rien. Ceci opère une mutation dans la représentation de la nation : « La Charte [canadienne des droits] assure ainsi le passage d'une culture nationale centrée sur la majorité historique québécoise à une autre où cette dernière est contestée dans sa prétention à se constituer comme culture de

---

79. Thériault, Joseph Yvon (2010). « Entre républicanisme et multiculturalisme : La Commission Bouchard-Taylor, une synthèse ratée ». Dans *La Diversité québécoise en débat : Bouchard, Taylor et les autres*. Gagnon, Bernard (dir.). p. 153.

80. *Fonder l'avenir*, p. 122.

81. Bock-Côté, Mathieu (2010). « Le multiculturalisme en débat : retour sur une tentation thérapeutique ». *Op. cit.*, p. 228.

convergence[82].» Cette culture de convergence est la table qui permet à Mathieu Bock-Côté de soutenir que les sociétés occidentales, en tant qu'univers culturels, sont en droit de se poser comme normes intégratrices aux nouveaux venus et à la diversité dans son ensemble, même si le droit constitue indéniablement une dimension importante de l'identité des sociétés d'immigration, comme c'est le cas au Québec.

Bock-Côté considère aussi que l'interculturalisme et le rapport de la Commission résultent de l'hégémonie d'une philosophie *chartiste* ou «droit-de-l'hommiste» qui «décentre l'identité québécoise de l'expérience historique qui l'a générée[83]». Les tenants de cette vision «cherchent, dit-il, à fonder une forme de cohésion sociale dans un contexte posthistorique et postnational[84]». Vu comme une sorte de tentative de «réingénierie identitaire» orientée par une «idéologie diversitaire», l'interculturalisme veut refonder la nation québécoise en remontant son «cadran historique à zéro[85]». L'interculturalisme, assimilé à un «multiculturalisme à la québécoise», participe à ce que cet auteur dénonçait dans son premier essai: une dénationalisation de la communauté politique[86].

Le rapprochement que font les républicains conservateurs entre ces deux modèles découle d'une interprétation qui est faite de l'esprit du multiculturalisme institué en octobre 1971. Cette nouvelle politique identitaire consacrait le rejet du biculturalisme de la commission Laurendeau-Dunton (1967-1970), qui se basait sur la présence de deux cultures fondatrices au Canada. À cette époque, Pierre Elliott Trudeau détaillait l'essence de la nouvelle identité canadienne qu'il entendait bâtir:

> Nous croyons que le pluralisme culturel est l'essence même de l'identité canadienne. Chaque groupe ethnique a le droit de conserver et de faire épanouir sa propre culture et ses propres

---

82. *Ibid.*, p. 230.

83. *Ibid.*

84. *Ibid.*, p. 231.

85. *Ibid.*

86. Bock-Côté, Mathieu (2007). *La Dénationalisation tranquille: mémoire, identité et multiculturalisme dans le Québec postréférendaire*. Montréal: Boréal, 211 pages.

valeurs dans le contexte canadien. Dire que nous avons deux langues officielles, ce n'est pas dire que nous avons deux cultures officielles, et aucune n'est en soi plus officielle qu'une autre. Une politique de multiculturalisme doit s'appliquer à tous les Canadiens sans distinction[87].

L'interculturalisme est donc vu comme une application québécoise du multiculturalisme, puisqu'il évacuerait le concept de « peuple » fondateur de la nation québécoise. Cette vision aplatirait les dimensions démographique et historique de la nation. Faisant *tabula rasa* de l'identité historique, elle verrait le Québec comme étant composé d'une multitude de communautés culturelles partageant une langue publique (le français) plutôt que deux, comme c'est le cas du multiculturalisme. C'est ce qui fait dire à Mathieu Bock-Côté que

[…] mis à part la langue française qui demeure le seul référent identitaire enraciné dans l'expérience historique majoritaire, l'identité québécoise se définirait principalement dans les documents qui surplombent la majorité française et qui permettent de limiter son investissement existentiel de la communauté politique[88].

Ce rejet de l'interculturalisme se comprend mieux lorsqu'on le conçoit comme un rejet du pluralisme normatif[89]. Cela explique pourquoi les intellectuels républicains conservateurs ont rejeté à la fois l'interculturalisme, le rapport Bouchard-Taylor et le cours ÉCR avec des arguments similaires. Le pluralisme normatif, ou culturel, refuse qu'il y ait transcendance d'une culture au sein d'une communauté politique, que ce soit à l'école, dans le droit ou dans l'enseignement de l'histoire. Toutes les cultures organisées par un appareil respectant les principes du pluralisme normatif sont situées juridiquement à

---

87. Extrait du discours du premier ministre Pierre Elliott Trudeau, prononcé le 8 octobre 1971, cité dans Juteau, Danielle (1999). *L'ethnicité et ses frontières*. Montréal : Presses de l'Université de Montréal, p. 72.

88. Bock-Côté, Mathieu (2010). « Le multiculturalisme en débat : retour sur une tentation thérapeutique ». *Op. cit.*, p. 232.

89. Il faut faire une distinction importante à ce sujet. Les républicains conservateurs reconnaissent le caractère pluraliste de la démocratie qui postule à l'égalité des citoyens indépendamment de leur identité. Ce que rejette ce groupe concerne plutôt la volonté d'ériger le pluralisme en tant que modèle officiel de l'identité collective.

équidistance des institutions, et aucune ne saurait se faire conférer un rôle distinct, aussi symbolique soit-il.

Gilles Labelle a développé une critique sévère de cette philosophie qu'il considère comme dominante au sein des institutions québécoises. Il la conçoit, de plus, comme un monopole qui ne dit pas son nom:

> [...] cette *doxa* envahissante [le pluralisme] dont, dans le cas du Québec, la commission Bouchard-Taylor a indiqué peut-être au mieux qu'on devait la tenir pour la seule légitime dans l'espace public et intellectuel si l'on veut éviter d'être traité d'arriéré mental (comme les citoyens d'Hérouxville), de «nostalgique» réactionnaire-conservateur ou de nazi (les deux dernières catégories revenant d'ailleurs à peu près au même aux yeux des accusateurs). N'en ayant que pour la tolérance, cette *doxa* est cependant parfaitement intolérante, elle ne supporte pas, je ne dis pas la contradiction, non: elle ne supporte pas même le questionnement; «ouverte à l'autre», elle est totalement fermée à tout ce qui n'est pas elle, bouchée dure; pluraliste, en somme, elle se rêve pourtant unanimement partagée et ne voit même pas la contradiction[90].

Selon Gilles Labelle, les tenants du pluralisme veulent éradiquer le vieux fond ethnique canadien-français considéré comme «fermé, quasiment cloîtré, paysan [...] peureux, xénophobe[91]». Il voit dans cette éthique, radicalement moderne, une incompatibilité avec la transmission des connaissances et de la culture. On voit poindre à nouveau dans la critique du pluralisme, qui sous-tend le rejet de l'interculturalisme, la volonté de faire comprendre les insuffisances du nationalisme civique:

> Une société n'est pas un assemblage d'individus naturellement libres et lâchement associés par un contrat ou par l'échange marchand; une société, cela existe et cela a une consistance propre (c'est un ensemble d'institutions, un certain «mode de reproduction» pour parler comme Michel Freitag[92]).

---

90. Labelle, Gilles (2011). «Nos pluralistes». *Argument*, vol. 13, n° 2, p. 4-5.

91. *Ibid.*, p. 6.

92. *Ibid.*, p. 10.

Selon ce point de vue, le pluralisme normatif entraîne d'abord une dislocation entre la communauté politique et la nation culturelle, puis l'effacement de cette dernière. Selon Jacques Beauchemin, l'État qui adopte les principes de cette philosophie reconfigure les composantes du vivre ensemble selon un genre d'«assemblage empirique [des] différences. Si cette vue des choses peut être qualifiée d'apolitique, dit-il, c'est que la communauté politique n'est plus représentée en termes de rapports de forces, ni située dans le jeu des intérêts, mais définie comme espace d'affirmation de la différence identitaire[93]».

En résumé, parmi les voix républicaines conservatrices, on constate d'abord que la critique de l'interculturalisme se présente comme une résurgence de la controverse entourant le multiculturalisme canadien qu'on aurait tenté de décliner dans une version propre aux institutions québécoises. Or, le rejet de ce modèle s'alimente aussi d'une autre source. Elle approfondit une critique de la dynamique politico-identitaire des 25 dernières années. Ce dernier quart de siècle serait en effet marqué, selon les voix réunies dans ce chapitre, par l'ascension en puissance de l'univers juridique au détriment du pouvoir politique et de la délibération collective.

4.8 FREINER LA JUDICIARISATION DES ENJEUX COLLECTIFS PAR UN RENFORCEMENT DU POUVOIR POLITIQUE

La critique de la judiciarisation des enjeux collectifs préexistait aux débats entourant le rapport Bouchard-Taylor, qui a lancé la controverse sur la laïcité depuis 2006. Si cet axe critique a ressurgi avec force, c'est parce que plusieurs penseurs, qu'on peut associer aux républicains conservateurs, ont constaté l'absence de volonté dans ce document de renverser la tendance qui avait cours jusque-là. Ceci s'explique, entre autres, par le refus de bloquer l'article 27 de

---

93. Beauchemin, Jacques (2010). «La notion de diversité comme lieu commun». Dans *La Diversité québécoise en débat : Bouchard, Taylor et les autres*, Gagnon, Bernard (dir.), Montréal : Québec Amérique. Coll. «Débats», p. 40.

la Charte canadienne des droits et libertés[94], qui a constitutionnalisé l'identité multiculturelle du Canada.

Selon ces voix critiques, les effets de cette Charte, enchâssée dans la Constitution qu'aucun parti politique du Québec n'a ratifiée depuis 1982, s'incarnent par exemple dans l'affaire du kirpan. Dans le jugement en question, à plusieurs reprises, la Cour suprême a rejeté l'interdiction systématique de porter l'objet dans les écoles en soulignant que cela équivaudrait à ne pas tenir « compte des valeurs canadiennes fondées sur le multiculturalisme[95] ». Cette décision se présente comme un contraste bien visible avec l'opposition de la population québécoise à cette pratique, puisqu'à l'automne 2007, 91 % des Québécois s'opposaient au port du kirpan à l'école[96].

Pour bloquer la portée de l'article 27 spécifiant l'identité multi-culturelle du Canada, il n'y avait que deux options : la disposition de dérogation (article 33 de la Charte canadienne) qui permet d'outre-passer certaines obligations de la Charte elle-même lorsqu'une province décide d'y recourir, sinon, l'accès du Québec à la souveraineté. Cela a fait dire à Jacques Beauchemin que le rapport Bouchard-Taylor a complètement escamoté le sujet du statut du Québec :

> [...] la Commission a finalement orienté ses travaux dans la perspective apolitique et culturaliste de la célébration de la diversité et du pluralisme. Voilà qui a eu pour effet d'entraîner l'évacuation du débat de la question nationale québécoise et des rapports majorité/minorités qu'elle suppose[97].

En refusant de proposer le recours à la disposition de dérogation pour solidifier une singularité québécoise, le rapport a accepté indirec-tement la primauté du régime canadien de 1982, qui est lu par quelques

---

94. L'article 27 stipulant : « Toute interprétation de la présente charte doit concorder avec l'objectif de promouvoir le maintien et la valorisation du patrimoine multiculturel des Canadiens. »

95. Multani c. Commission scolaire Marguerite-Bourgeoys, [2006] 1 R.C.S. 256, 2006 CSC 6 (alinéas 71 et 78). Accessible à l'adresse http://scc.lexum.org/fr/2006/2006csc6/2006csc6.html.

96. Sondage SOM-La Presse-Le Soleil, rapporté dans « Les Québécois rejettent tous les accommode-ments raisonnables », La Presse, 9 octobre 2007.

97. Beauchemin, Jacques (2010). « La notion de diversité comme lieu commun ». Dans La Diversité québécoise en débat : Bouchard, Taylor et les autres, p. 40.

spécialistes du droit[98] comme la date butoir d'une sérieuse bonification du pouvoir judiciaire par rapport au pouvoir politique.

Charles-Philippe Courtois et Guillaume Rousseau ont affirmé une volonté opposée à ce geste : préserver la suprématie du politique en ce qui concerne l'affirmation de l'identité nationale. Les grandes politiques identitaires (immigration, laïcité, rapports intercommunautaires, culture publique) devraient être le résultat de la dimension expressive plutôt qu'administrative de la démocratie. La représentation politique correspond, pour ces deux auteurs, à l'espace qui illustre le mieux ce principe auquel ils tiennent :

> Plus fondamentalement, nous prônons un modèle qui serait élaboré d'abord par le peuple québécois par l'entremise de ses représentants plutôt que par des juges nommés par Ottawa. C'est peut-être là la plus grande différence entre nous et M. Bouchard : pour nous, il existe d'autres conceptions démocratiques du droit que celles qui définissent une égalité « différenciée » selon les origines ethniques ou les confessions et qui valorisent la diversité avant tout. Et ces autres conceptions sont parfaitement défendables même si elles entrent parfois en contradiction avec le droit canadien[99].

Ce lien nécessaire entre démocratie, majorité et identité est apparu lors de l'épisode du Code de vie d'Hérouxville, alors que le conseil de ville de cette petite municipalité affirmait l'obligation d'accepter des normes pour quiconque chercherait à s'y installer. Issues de la volonté collective, ces valeurs étaient branchées au cœur de l'identité locale et condensaient l'addition de leurs préoccupations à l'égard de la diversité.

Il faut préciser que le style très populiste du document en question n'est pas représentatif du ton des autres voix associées aux républicains conservateurs. Les tonalités graves de ce code affichent une

---

98. Par exemple : Michael Mandel, *La Charte des droits et libertés et la judiciarisation du politique au Canada*, Montréal, Boréal, 1996 ; et Benoît Pelletier, « Des juges plus puissants », *La Presse*, 5 avril 2012. Lampron, Louis-Philippe (2014). « Les institutions judiciaires et le phénomène de la judiciarisation du politique au Québec et au Canada ». Dans Gagnon, Alain-G. (dir.) *La politique québécoise et canadienne : une approche pluraliste*. Québec : Presses de l'Université du Québec, p. 299-322.

99. Rousseau, Guillaume et Charles-Philippe Courtois. « Intégration et laïcité : d'autres voies sont possibles », *Le Devoir*, 25 janvier 2010.

certaine panique, comme en témoignent les commentaires de celui qui en a eu l'initiative. Pour Bernard Thompson : « La question des accommodements raisonnables n'est que le symptôme d'un problème beaucoup plus profond. […]La Charte canadienne des droits est un outil pour détruire notre pays[100]. » Selon Thompson (devenu maire d'Hérouxville en 2009), la situation dans laquelle se retrouvait le Québec en 2007 était critique, car la pratique de l'accommodement raisonnable signifiait que la démocratie et la culture québécoise étaient mises en péril par des élus qui avaient « omis d'accomplir leur devoir[101] » en abandonnant la gouverne de l'État.

Le code de vie d'Hérouxville a été attaqué avec véhémence dans les médias, mais a quand même reçu l'appui d'auteurs républicains conservateurs qui ont vu dans la réaction de cette petite ville une volonté légitimement exprimée parce que résultant du sens commun des représentants de cette population. Gilles Labelle a justifié son appui au document d'Hérouxville en soulignant que d'interdire de « lapider ou exciser les femmes » ne faisait que rappeler les valeurs occidentales et que cela ne valait pas aux citoyens de cette ville d'être ridiculisés. Gilles Labelle considère que la dérision réservée à cette municipalité est symptomatique d'un dédain du discours populaire et qu'elle s'assoit sur une certaine volonté inavouée de censurer le peuple : « Taisez-vous et laissez les sages de notre temps trancher ces difficiles questions[102]. » C'est le message qu'il décode de la part des défenseurs du rapport de la commission Bouchard-Taylor, qu'il qualifie d'élite multiculturaliste composée de gens « convaincus de leur supériorité morale ». Cette élite aurait tendance à considérer la population qui rejette le pluralisme normatif, comme des « arriérés », « une populace ignorante », xénophobe et parfois raciste.

C'est ainsi qu'il a jugé sévèrement les réceptions hostiles de l'affirmation d'Hérouxville lors du débat sur les accommodements raisonnables :

---

100. Propos rapportés dans « Commission Bouchard-Taylor. La charte canadienne, un "outil pour détruire notre pays". Les militants de Hérouxville témoignent », *Le Devoir*, 25 octobre 2007.

101. Thompson, Bernard (2007). *Op. cit.*, p. 107.

102. Labelle, Gilles. « *Quand Hérouxville parle* », *Le Devoir*, 30 octobre 2007.

Ce que vient troubler Hérouxville et qui suscite une inénarrable irritation chez tous les sages de notre temps convaincus d'être les seuls dépositaires de la parole autorisée, c'est précisément ce « partage du sensible » où, malgré la liberté d'expression reconnue constitutionnellement à tous, certains ont un titre à prendre la parole en public et d'autres n'ont que celui de se taire et d'entendre. Hérouxville a parlé, mais qu'est-ce qu'une bande de ploucs du fond de la campagne québécoise pourrait bien avoir d'intéressant à dire, hein[103] ?

Le cas d'Hérouxville n'a été cité que par une minorité des voix républicaines conservatrices, mais il représente bien le refus des penseurs de ce groupe d'accepter la neutralisation judiciaire et le discrédit automatique de la volonté du « peuple » en ce qui a trait aux politiques identitaires et culturelles. Les liens que cherche à maintenir en vie cette famille de pensée entre majorité et identité collective pourraient s'incarner, dans la pratique, dans un sens similaire à l'épisode des minarets en Suisse. À la suite de l'initiative populaire fédérale contre la construction des minarets, les citoyens de ce pays ont été appelés, en 2009, à se prononcer sur la légalité de la construction des futurs minarets sur leur territoire. À la suite d'un référendum comptant 57,5 % de voix pour l'interdiction, ainsi que 19 cantons sur 23, l'érection de nouvelles bâtisses de ce genre a été interdite dans la constitution fédérale[104]. Cet exemple représente le choix qu'une société peut faire en offrant la souveraineté d'une décision à la volonté populaire plutôt qu'aux droits individuels en matière d'identité architecturale.

Pour les républicains conservateurs et pour les républicains civiques, la charte des valeurs a constitué une contre-mesure pour tenter de lutter contre le cadre de la Constitution canadienne qui place, selon eux, les droits individuels au-dessus du pouvoir politique du peuple et des élus. En d'autres mots, le projet de charte des valeurs est une offensive de la souveraineté politique du Québec contre la structure du multiculturalisme du Canada. Dans ce cas-ci,

---

103. *Ibid.*
104. « Les Suisses votent l'interdiction des minarets », *La Croix*, 29 novembre 2009.

selon Lucia Ferretti, la clause dérogatoire permettant de neutraliser l'application de la Constitution canadienne aurait même dû être appliquée[105] pour servir de fortification à la culture politique québécoise.

Les discours réunis dans ce chapitre manifestent d'abord une posture critique de l'élitisme qui *fait fi du peuple* en matière de politiques publiques. Les axes d'intervention des républicains conservateurs démontrent ensuite une crainte : celle d'une perte de contrôle sur le destin collectif de la nation elle-même pour ce qu'elle a de plus profond : les politiques identitaires. Cette préoccupation est centrale pour ces penseurs, car ce sont ces politiques qui servent de patrons aux autres qui voient le jour en matière d'éducation, de culture, d'intégration des immigrants et de norme linguistique dans l'espace public.

Selon Mathieu Bock-Côté, l'esprit qui anime le rapport Bouchard-Taylor considère les chartes de droits comme la seule véritable identité québécoise, et cette vision du Québec accuserait «le "nationalisme conservateur" de vouloir rompre avec l'apprentissage de la diversité[106]». Le fait de concevoir les droits individuels comme le cœur de l'identité nationale entraînerait ainsi une sorte d'«élitisation» des débats publics, qu'il qualifie de «technocratisation-chartiste» qui transforme les enjeux identitaires et collectifs (comme la laïcité) en sujets juridiques plutôt que de les concevoir comme des sujets politiques qui relèvent de l'Assemblée nationale. Selon Joseph Facal, cela a un effet roboratif sur le «noyau dur de la doctrine multiculturaliste», qui repose sur un relativisme pour lequel «il ne reste plus alors comme valeurs proposées à tous que la reconnaissance juridique des différences issues de la culture d'origine de chacun et des principes de droit visant à protéger les particularismes individuels contre la tyrannie potentielle de la majorité[107]».

---

105. Ferretti, Lucia. «Charte des valeurs québécoises – Séparation oui, neutralité, non», *Le Devoir*, 10 septembre 2013.

106. Bock-Côté, Mathieu (2010). «Le multiculturalisme en débat : retour sur une tentation thérapeutique». *Op. cit.*, p. 237.

107. Facal, Joseph (2010). *Op. cit.*, p. 97.

Pour résumer, les républicains conservateurs ont vu dans le rapport Bouchard-Taylor et dans l'opposition à la charte des valeurs une reconnaissance de la tendance qui avait cours antérieurement et que certains ont appelée le « gouvernement des juges ». Selon cette famille de pensée, le pouvoir politique est de plus en plus neutralisé par le pouvoir des tribunaux et du droit. Cela aurait pour effet d'empêcher l'expression politique de la majorité des Québécois en ce qui a trait à ses enjeux culturels ou identitaires. Le rapport Bouchard-Taylor, en ayant refusé d'investir significativement le politique pour résorber la crise, aurait amplifié le désaveu que porte la majorité de l'électorat envers la classe des dirigeants, des spécialistes des relations intercommunautaires, des juristes, des juges, qui a été représentée par les républicains conservateurs comme une élite déconnectée de la volonté du peuple. L'étude du conflit de valeurs entre les positions du rapport Bouchard-Taylor et les voix réunies dans ce chapitre montre que ces dernières considèrent que le rapport concourt donc au déclin des traditions politiques québécoises tout en niant l'ascendant que la nation devrait avoir sur les politiques, qui ont pour fin de lui donner un visage.

4.9 ANALYSE DES VALEURS CLÉS DES RÉPUBLICAINS CONSERVATEURS

Les huit grands axes critiques des voix qui viennent d'être détaillées montrent un divorce consommé entre les grandes lignes du rapport Bouchard-Taylor, l'interculturalisme et le cours Éthique et culture religieuse. En accumulant pendant quelques années autant de réserves et d'attaques à l'endroit du rapport, la nébuleuse des républicains conservateurs a élaboré un programme de rechange qui est devenu plus tard la charte des valeurs du Parti québécois.

Un trait général se dégage dans cette famille de pensée : le refus de « désubstantialiser » l'identité culturelle de la nation en faisant de la charte (québécoise ou canadienne) des droits le seul critère essentiel de l'identité collective. Chez ce groupe d'auteurs, on ne peut chercher à intégrer la diversité québécoise qu'à partir de ces

valeurs fondamentales parce qu'elles sont, de toute façon, iden-
tiques à celles des autres sociétés démocratiques.

Ainsi, selon les auteurs faisant partie de cette constellation, c'est
l'imbrication progressive du temps, de l'espace et de la population
qui dessine, mieux que tout, le portrait d'une nation. Cette dernière
est donc faite d'histoire, de mémoire, d'une majorité, de minorités,
de culture, d'institutions, de coutumes et de traditions politiques. Le
parcours historique de la majorité francophone, bien que semé
d'embûches, de menaces, de religion, de culture, a façonné des sensibilités qui donnent une personnalité à la société québécoise. Pour la
présente famille de pensée, c'est principalement en se référant à ces
sensibilités produites historiquement que la nation québécoise doit
continuer d'aborder les défis collectifs liés à son avenir identitaire. Par
exemple, c'est l'Assemblée nationale et ses élus (et non les tribunaux)
qui ont mis sur pied la loi 101 qui a garanti la survie de la prédominance de la langue française au Québec, cette même assemblée doit
donc pouvoir continuer d'orienter l'avenir du Québec en matière
d'identité collective, et la charte des valeurs du Parti québécois qu'ils
ont défendue en serait une composante.

Par ailleurs, on note surtout parmi les nombreux discours républicains conservateurs que la mémoire collective est la condition
ontologique de la solidarité d'une nation. Cette position soutient la
reconnaissance d'une certaine transcendance du passé. Cela permet
de comprendre l'inquiétude partagée par ces auteurs envers les
critiques radicales des institutions, car la rupture avec la continuité
leur fait craindre l'abandon de ce qui conditionne la survie d'une
identité.

Cette interprétation critique des tendances révolutionnaires se
méfie de la foi aveugle envers ce *monde meilleur et à venir* qui
n'existe pas et qu'on souhaite inventer. Ceux qui partagent cette
sensibilité avancent qu'il est plus facile de détruire une société que
de la construire et qu'il en est ainsi pour le sens commun, qui donne
naissance et entretient une conception partagée du bien commun.
Pour eux, il n'est pas nécessaire d'abandonner une partie de soi

pour surmonter les défis du présent. En ce sens, faire de la Révolution tranquille le moment zéro de la nation québécoise et de sa démocratie menace *l'avenir de la mémoire*[108] et son utilité fondamentale, qui est d'orienter l'action – comme une boussole – en temps d'égarement, de crise ou d'incertitude.

Pour les républicains conservateurs, très soucieux de la continuité, les ruptures trop radicales peuvent mener au nihilisme et alimenter le vide existentiel sur le plan collectif ; voilà pourquoi, jugent-ils, il faut maintenir une symétrie entre le cadre d'une nation et celui de la démocratie qui lui sert de régime politique. La nation est vue comme le terrain fertile sur lequel ces régimes ont pris racine. Ces bases sociologiques, historiques et culturelles permettent à une société de survivre en temps de paralysie institutionnelle, car ceux qui habitent ces régimes se reconnaissent une unité qui dépasse la simple possession d'une carte de citoyen.

L'analyse du conflit des valeurs illumine facilement les pourtours des constellations idéologiques qui entrent en opposition, mais elle rend aussi possible la détection de ce qui leur sert de cœur, puisque l'ensemble des arguments, des critiques et des idées qui émanent des familles de pensée se rattachent à un même noyau. Pour bien saisir l'identité des républicains conservateurs, il faut concevoir sa sensibilité principale comme un souhait de faire continuité, car, pour eux, c'est ce qui permet à une culture de survivre dans le temps et, en d'autres mots, cela lui évite de dépérir qualitativement à l'état de folklore. Si on voulait résumer l'esprit de cette famille de pensée en quelques mots, les plus éloquents serait ceux de Fernand Dumont, qui soutiennent la nécessité pour les générations actuelles de voir l'héritage du passé comme « un projet à reprendre[109] ».

---

108. Dumont, Fernand (1995). *L'Avenir de la mémoire*. Québec : Nuit blanche, 95 pages.
109. *Ibid.*, p. 40.

CHAPITRE 5

**Les penseurs libéraux :
l'égalité par la différence, la diversité comme fin
et comme moyen**

En étudiant le conflit de valeurs survenu lors de la controverse entourant la laïcité au Québec, on remarque qu'une dernière famille de pensée se distingue clairement des deux précédentes. Parmi les voix qui la composent, on trouve d'abord les défenseurs du rapport Bouchard-Taylor, les promoteurs du cours Éthique et culture religieuse ainsi que les détracteurs de la charte des valeurs québécoises avancée dans le projet de loi 60 du Parti québécois en 2013.

Les auteurs de cette famille de pensée se rejoignent surtout autour de la conception de la laïcité ouverte défendue dans le rapport final, une laïcité libérale favorable à l'expression religieuse dans l'espace public et dans les institutions (**section 5.1**). On constate aussi que les principes philosophiques de cette nébuleuse intellectuelle respectent les grandes lignes d'une éthique plutôt individualiste qui se caractérise par des références constantes au droit et aux décisions des tribunaux (**section 5.2**). En matière de laïcité, les penseurs libéraux s'opposent en bloc à l'idée d'instaurer une charte de la laïcité au Québec. Selon eux, cette charte ne ferait que restreindre davantage les libertés religieuses sans offrir quoi que ce soit de plus en matière de laïcité (**section 5.3**). Cette dernière position suit la logique de la vision que ce groupe se fait de l'histoire de la laïcité au Québec. Pour eux, la laïcité n'est pas un pur produit de la France et elle n'est pas apparue du néant au Québec lors de la Révolution tranquille. La laïcité est plutôt héritière des deux siècles de progrès de la culture des droits individuels et du souci de la protection des minorités qui s'est édifié avec le temps (**section 5.4**). Insistant sur l'entière souveraineté morale de l'individu en matière de liberté de conscience, les penseurs libéraux se préoccupent beaucoup de l'intolérance protéiforme qu'ils perçoivent, surtout dans les critiques et hostilités adressées au port du voile (**section 5.5**).

On ne pourrait passer sous silence deux éléments qui permettent de bien détecter le système de valeurs du groupe qui sera analysé en détail dans ce chapitre. D'abord, cette communauté de pensée se range derrière la thèse du rapport Bouchard-Taylor voulant qu'il n'y ait jamais eu de réelle crise dans les rapports interculturels au Québec. Le tumulte des accommodements raisonnables leur semble surtout redevable à une couverture médiatique déformante et sensationnaliste (**section 5.6**). Deuxièmement, les penseurs libéraux s'entendent avec les commissaires pour dire que la majorité gagnerait à s'ouvrir davantage à la diversité, car la majorité francophone est sujette à des craintes historiques qui lui font percevoir de constantes menaces à la survie de sa culture et de son identité (**section 5.7**). En dernier lieu, un ralliement autour de l'interculturalisme comme matrice de l'identité québécoise permet de compléter les frontières de cette famille de pensée. Néanmoins, un débat persiste au sein de ce groupe quant à savoir s'il s'agit d'une application du multiculturalisme dans une version québécoise ou d'une politique originale et propre au Québec (**section 5.8**).

5.1 POUR LA LAÏCITÉ OUVERTE : UNE LAÏCITÉ LIBÉRALE

Le premier trait qui réunit les penseurs libéraux[1] est celui d'un ralliement autour du modèle de laïcité promu au chapitre VII[2] du rapport final de la Commission. Pour le rappeler, cette laïcité est dite

---

1. Les ténors du groupe des penseurs libéraux sont : Jocelyn Maclure, Gérard Bouchard, Charles Taylor, Daniel Weinstock, Régine Robin, Michel Seymour, Pierre Bosset, Georges Leroux, Pierre Anctil, Geneviève Nootens, Rémi Bourget, Jean Dorion, François Rocher, Julius Grey, Stéphane Courtois, la Fédération des femmes du Québec, Françoise David et Québec solidaire.

2. *Fonder l'avenir*, chapitre VII (« Le régime québécois de laïcité »), p. 131-154.

« ouverte », parce qu'elle veut affirmer son refus de fermeture aux manifestations de la foi dans la sphère publique, dans les institutions et chez la plupart des agents de l'État, dès lors qu'elles ne gênent pas la liberté individuelle des autres, croyants ou non croyants. Cette laïcité incarne les grands principes des régimes laïques libéraux, fortement présents dans le monde anglo-saxon. Ce modèle confère à l'État un rôle minimaliste qui assure le respect des libertés à partir de l'application des droits individuels. Le rapport est explicite au sujet de la configuration libérale de la laïcité qu'il met de l'avant :

> Cette orientation est en quelque sorte le reflet de la laïcité beaucoup plus libérale que républicaine qui s'est implantée de façon graduelle au Québec. La laïcité, au Québec, permet aux citoyens d'exprimer leurs convictions religieuses dans la mesure où cette expression n'entrave pas les droits et libertés d'autrui[3].

Cette ouverture à l'expression publique de l'appartenance religieuse se traduit par l'accueil favorable aux accommodements raisonnables fondés sur des revendications religieuses ou culturelles. Par exemple, Pierre Anctil, en accord avec les grandes lignes du rapport, justifie la nécessité des accommodements raisonnables parce qu'ils constituent, selon lui, des mesures antidiscriminatoires surtout bénéfiques aux minorités : « *Reasonable accommodation must therefore be considered, first and foremost, as a legal tool that allows for the just and equitable treatment before Canadian law, of people belonging to a minority experiencing discrimination[4].* » En d'autres mots, en plus du principe de *l'égalité dans la différence*, pour les penseurs libéraux, il faut comprendre que c'est aussi *par la différence* qu'on atteint une vraie égalité et que des accommodements circonstanciels ne peuvent que servir une telle démarche.

La jonction lexicale entre « laïcité » et « ouverte » n'est pas une innovation propre au rapport Bouchard-Taylor. On retrouve la

---

3. *Ibid*, p. 141.

4. Anctil, Pierre (2011). « Reasonable Accommodation in the Canadian Legal Context : A Mechanism for Handling Diversity or a Source of Tension ? ». Dans *Religion, culture, and the state : reflections on the Bouchard-Taylor Report*. Adelman, Howard et Pierre Anctil (dir.). Toronto : University of Toronto Press, p. 28.

première occurrence de cette appellation en 1999 dans le rapport Proulx, qui annonçait la fin des structures scolaires publiques confessionnelles au Québec. Le choix de ce deuxième terme était réfléchi et visait à signaler que, malgré la déconfessionnalisation irréversible du système scolaire[5], l'école laïcisée devait néanmoins « faire place à un enseignement culturel de la religion et à une animation commune pour les diverses religions[6] ». Selon les visées de ce groupe de travail, les identités religieuses n'avaient pas à être niées et les religions pouvaient conserver, à titre d'éducation culturelle, une place dans cette institution. Comme le rappelait Jean-Pierre Proulx dans une lettre qui soulignait les 10 ans de son rapport : « L'école québécoise s'est vue refondée de manière à assurer l'égalité de chaque élève au regard de la liberté de religion. Les droits et privilèges consentis historiquement aux seuls catholiques et protestants ont été abrogés[7]. »

L'ouverture promue dans ce rapport faisait aussi écho aux débats qui avaient eu lieu au milieu des années 1990, où il avait été question de décider ou non de l'interdiction de porter le voile à l'école publique. Au terme des discussions, la majorité des intervenants (syndicats enseignants, groupes communautaires, groupes féministes) s'était opposée à l'interdiction de ce vêtement chez les élèves. Taylor et Maclure ont résumé l'argument sous-jacent à cette décision :

> Le choix d'une approche libérale et inclusive par le Québec, lors du débat du milieu des années 1990 sur le port du hidjab à l'école publique, s'est aussi avéré l'un des moments décisifs dans la construction de ce modèle de laïcité ouverte. Sans qu'il y ait unanimité, un accord assez large s'est alors dégagé pour permettre aux élèves portant le foulard de fréquenter l'école publique plutôt que de les exclure et de les pousser ainsi vers les écoles privées

---

5. Le rapport Proulx a mené au projet de loi n° 95, *Loi modifiant diverses dispositions législatives de nature confessionnelle dans le domaine de l'éducation*, 2005. Cette loi est à la base de la création du cours Éthique et culture religieuse mis en place à l'automne 2008.

6. *Laïcité et religions. Perspective nouvelle pour l'école québécoise*. Groupe de travail sur la place de la religion à l'école, p. 145.

7. Jean-Pierre Proulx à propos du 10e anniversaire de son rapport, « Une réflexion qui a changé l'école », *Le Devoir*, 30 mars 2009.

religieuses. La plupart des intervenants participant au débat en sont venus à la conclusion que, en plus de porter atteinte au droit à l'égalité et à la liberté de conscience des élèves, l'interdiction du foulard les priverait vraisemblablement d'une occasion unique de socialisation avec des jeunes et des enseignants provenant de tous les milieux et origines[8].

Les arguments qui portaient cette position au milieu des années 1990 sont analogues autant à ceux qui ont été exprimés en faveur de la laïcité ouverte du rapport Bouchard-Taylor qu'à ceux utilisés contre la charte des valeurs québécoises défendue par les républicains civiques (chapitre 3) et les républicains conservateurs (chapitre 4). Dans l'essentiel, cette opposition repose sur une crainte de l'auto-exclusion sociale des groupes minoritaires due à des contraintes collectives qui les forceraient à choisir entre leurs principes religieux et l'accès à l'espace public. Cet argument qui sert de pilier à la laïcité ouverte et à l'interculturalisme sera examiné en détail plus loin dans ce chapitre (section 5).

En plus de son ouverture aux manifestations de la foi et à la volonté de prolonger la laïcité tracée par le rapport Proulx, la laïcité du rapport Bouchard-Taylor qui se trouve défendue par les penseurs libéraux est ouverte pour une autre raison : elle ne ferme pas d'emblée la porte aux critiques et aux contestations des normes collectives. Taylor et Maclure, dans un livre sur la laïcité qu'ils présentent comme le fruit d'une réflexion visant à bonifier le chapitre VII sur la laïcité du rapport Bouchard-Taylor, expliquent que les critiques adressées aux lois et à la structure de l'État par les diverses identités peuvent révéler des symptômes de réels malaises ou d'injustice difficiles à percevoir pour la majorité, car « [les] lois et les normes sont généralement pensées en fonction de la majorité ou des situations d'application les plus courantes[9] ». Geneviève Nootens, en accord avec les conclusions du rapport, voit les relations entre contestation et progrès démocratique de façon similaire. Il faut reconnaître, souligne-t-elle, qu'à

---

8. Taylor, Charles et Jocelyn Maclure (2010). *Laïcité et liberté de conscience*. Montréal : Boréal, p. 75.

9. *Ibid.*, p. 85.

un moment donné de l'histoire, « les institutions sociales incarnent, et cristallisent, des rapports de pouvoir spécifiques[10] ». Ainsi, « [c'est] par la contestation, la mobilisation, les revendications, la négociation, l'interaction (au sein d'un groupe, d'une société ou d'un ensemble plus large, régional ou mondial) que se modifient les institutions et les représentations qui les soutiennent[11] ».

L'idée derrière cette posture d'ouverture aux critiques des normes collectives soutient que ces dernières peuvent indirectement favoriser le groupe majoritaire, car elles sont le produit d'une histoire particulière. De cette façon, beaucoup de lois ont été adoptées à des époques où les principes laïques n'imprégnaient pas l'esprit des législateurs comme c'est le cas depuis l'établissement des chartes au Québec (1975) et au Canada (1982)[12].

Pour représenter ce genre de situations à l'égard de la diversité, le cas le plus couramment donné en exemple, dans le rapport[13] et par ses défenseurs, est celui de la cassation, en 1985, par la Cour suprême de l'ancienne *loi sur le jour du Seigneur* datant de 1906[14]. Cette loi, qui interdisait de travailler le dimanche, a été jugée comme le vestige d'une imbrication entre les lois et la culture originalement chrétienne du Canada. Commercialement, elle favorisait ainsi les gens de culture chrétienne, car la semaine de travail s'emboîtait sur leur cycle de vie au détriment des entrepreneurs des autres confessions, d'où l'élimination de la loi en question.

Pour les penseurs libéraux, loin d'être des forces contraires à la démocratie, les identités religieuses peuvent être les véhicules à travers lesquels il devient possible d'enrichir la démocratie dans sa dimension pratique et appliquée. Pour justifier la légitimité de cette vision de l'évolution des rapports sociaux, Taylor et Maclure précisent que

---

10. Nootens, Geneviève (2010). « Penser la diversité : entre monisme et dualisme ». Dans Gagnon, Bernard (dir.). *La Diversité québécoise en débat : Bouchard, Taylor et les autres*. Montréal : Québec Amérique. p. 66.

11. *Ibid.*, p. 57.

12. On pourrait aussi évoquer la *Déclaration canadienne des droits*, loi fédérale (S.C. 1960, ch. 44) adoptée sous John Diefenbaker le 10 août 1960.

13. *Fonder l'avenir*, p. 152.

14. R. c. Big M Drug Mart Ltd., [1985], 13 CRR 64.

« les perspectives religieuses sont des sources morales importantes pouvant contribuer de façon significative à l'approfondissement de la culture démocratique[15] ». Rejeter systématiquement les critiques des règles du vivre ensemble et les accommodements raisonnables sous prétexte qu'ils renvoient à des principes religieux ou culturels correspond, selon ces auteurs, à nier des ambitions profondes qui doivent pourtant être entendues en démocratie. Les nombreux signataires du *Manifeste pour un Québec pluraliste*, où ont convergé les penseurs libéraux, argumentent dans le même sens : « [...] le pluralisme favorise les rapports interculturels et se veut un approfondissement des valeurs démocratiques[16]. » En somme, selon la lecture que font les penseurs libéraux des rapports sociaux, le développement du dialogue issu du contact avec la diversité obligerait à développer un sens de la tolérance réciproque, car la conversation démocratique favoriserait la reconnaissance mutuelle des acteurs qui se rencontrent. Cette vision des choses, hautement compatible avec le constitutionnalisme coutumier décrit par James Tully[17], permet de dégager une autre valeur profonde de ces voix qui appuient les conclusions du rapport Bouchard-Taylor : le pluralisme incarne à la fois le moyen et la fin du fonctionnement démocratique.

Selon cette position, qui s'inspire de la raison communicationnelle[18], l'ouverture aux demandes de la diversité et la réforme des normes en conséquence forcent les différentes parties du corps social à communiquer entre elles, ce qui renforcerait la compréhension mutuelle, fortifierait la tolérance à l'égard d'autrui et élargirait

---

15. Taylor, Charles et Jocelyn Maclure (2010). *Op.cit.*, p. 139.

16. Dominique Leydet, Pierre Bosset, Micheline Milot, Daniel Weinstock, Jocelyn Maclure et al., « Manifeste pour un Québec pluraliste », *Le Devoir*, 3 février 2010.

17. Le constitutionnalisme coutumier qu'élabore James Tully en opposition à un constitutionnalisme moderne, « uniformisateur et impérial », repose sur la reconnaissance mutuelle et le consentement des communautés historiques d'un État-Nation. Cette vision est en effet autrement compatible avec la théorie de la reconnaissance et la morale communicationnelle qui constituent deux assises de la vision de la justice des penseurs libéraux décrits dans le présent chapitre. Cf. Tully, James (1999). *Une étrange multiplicité : le constitutionnalisme à une époque de diversité*. Québec : Presses de l'Université Laval, 260 pages.

18. Habermas, Jürgen (1999). *Morale et communication*. Paris : Flammarion. Coll. « Champs », 212 pages. Habermas, Jürgen (1987). *Théorie de l'agir communicationnel* (2 tomes). Paris : Fayard, tome 1 : 450 pages, tome 2 : 480 pages.

l'ouverture à la diversité. Selon cette théorie, la justice n'existe pas toujours et nécessairement grâce au respect de règles définies *a priori*. Elle doit aussi incorporer des principes développés *a posteriori*, à la suite du dialogue et des frictions que produit le côtoiement de diverses rationalités dans un espace commun.

En plus de cette morale communicationnelle, sur laquelle les penseurs libéraux tiennent à asseoir les bases de la démocratie, s'ajoute une compatibilité évidente avec les principes de la reconnaissance politique, défendue surtout Axel Honneth[19], Will Kymlicka[20] et Charles Taylor[21]. Michel Seymour[22] souligne que la reconnaissance, une philosophie de généalogie hégélienne[23], peut trouver son sens à divers niveaux : l'individu et sa psyché (théorisée surtout par Honneth) ou l'identité de groupe et des peuples (plutôt présente chez Taylor). L'accommodement raisonnable réunit ces deux volets, car ce sont des principes subjectifs individuels liés à des identités de groupe qui permettent à un individu d'obtenir un accommodement raisonnable lié à des revendications religieuses ou culturelles. Ce principe est compatible avec le souci du respect de *l'intégrité morale* défendue antérieurement par Taylor, qui se trouve fréquemment utilisée par les défenseurs de la laïcité ouverte, mais aussi dans le rapport où les commissaires présentent l'identité religieuse non pas comme un *choix* parmi d'autres, mais sous la forme d'une *contrainte* qui force l'individu à se conformer à une vision intime qu'il a de lui-même[24].

La conception de la démocratie des penseurs libéraux ne nie pas la légitimité de la souveraineté du peuple pour l'ensemble des décisions collectives, mais voit plutôt l'égalité dans la différence

---

19. Honneth, Axel (2000). *La lutte pour la reconnaissance*. Paris : Éditions du Cerf, 232 pages.

20. Kymlicka, Will (2001). *La Citoyenneté multiculturelle : une théorie libérale du droit des minorités*. Montréal : Boréal, 360 pages.

21. Taylor, Charles (1994). *Multiculturalisme : Différence et démocratie*. Paris : Aubier, 144 pages.

22. Seymour, Michel (2007). *De la tolérance à la reconnaissance : une théorie libérale des droits collectifs*. Montréal : Boréal, p. 97-100.

23. Lire surtout la dialectique du maître et de l'esclave pour saisir les grandes lignes de la philosophie de la reconnaissance, dans la *Phénoménologie de l'esprit* de Hegel.

24. *Fonder l'avenir*, p. 144.

comme la réelle fin de ce régime politique. Ceci fait en sorte que la volonté majoritaire ne doit pas concentrer l'entière souveraineté en matière de politiques publiques. En d'autres mots, selon les intellectuels qui partagent cette philosophie des rapports sociaux, l'identité collective se trouve au-delà de la frontière qui délimite la légitimité du pouvoir politique.

Cette perspective se conçoit de manière analogue au principe de la *liberté des modernes* telle que définie par Benjamin Constant[25]. Cette liberté moderne, aussi dite *négative*, est axée principalement sur les droits individuels et l'autonomie de la sphère privée par l'application des restrictions les plus minimales possible. Au début du XIXe siècle, ce penseur libéral avait dessiné plus explicitement les frontières de la souveraineté politique envers les minorités et les individus :

> [...] par liberté, j'entends le triomphe de l'individualité tant sur l'autorité qui voudrait gouverner par le despotisme que sur les masses qui réclament le droit d'asservir la minorité à la majorité. Le despotisme n'a aucun droit. La majorité a celui de contraindre la minorité à respecter l'ordre : mais tout ce qui ne trouble pas l'ordre, tout ce qui n'est qu'intérieur, comme l'opinion ; tout ce qui, dans la manifestation de l'opinion, ne nuit pas à autrui, soit en provoquant des violences matérielles, soit en s'opposant à une manifestation contraire ; tout ce qui, en fait d'industrie, laisse l'industrie rivale s'exercer librement, est individuel, et ne saurait être légitimement soumis au pouvoir social[26].

En gros, les libertés individuelles que défendent les penseurs libéraux refusent d'être l'objet du champ de légitimité des délibérations collectives, même lorsqu'il s'agit d'identité nationale. Cette famille de pensée place ainsi l'enjeu du pluralisme au sommet des préoccupations démocratiques et considère que le plus grand nombre n'a pas la légitimité de décider du mode d'existence et de l'étendue des libertés des groupes minoritaires et des individus. Dans une

---

25. Discours prononcé à Paris, 1819. Dans une édition récente : Constant, Benjamin. *De la liberté des anciens comparée à celle des modernes*. Paris : Mille et une Nuits, 2010, 59 pages.

26. Constant, Benjamin (1997). *Écrits politiques*. Paris : Gallimard, p. 623-624.

contribution à un livre qui fait le point sur le rapport Bouchard-Taylor, Nootens rappelle que le respect du pluralisme « impose d'aménager des rapports politiques démocratiques qui n'exigent pas la subordination de la diversité des appartenances nationales à l'unité comme condition du *Commonwealth*[27] ». En d'autres mots, en démocratie, les rapports politiques entre majorité et minorités nécessitent, selon elle et les penseurs libéraux, une dépolitisation à un certain degré, ce qui obligerait d'accepter de transférer la gestion de ces rapports aux champs de l'éthique et du droit.

L'influence de la philosophie de la reconnaissance, l'accueil favorable de la laïcité ouverte à la présence de symboles religieux chez les employés de l'État ainsi que l'entérinement des accommodements raisonnables fondés sur des revendications religieuses permettent de dégager un autre des traits importants de la famille des penseurs libéraux réunis dans ce chapitre : une éthique individualiste centrée sur les droits de la personne.

5.2 DROITS INDIVIDUELS ET ÉTHIQUE INDIVIDUALISTE

Parmi les nombreux auteurs qu'on peut inclure dans la famille des penseurs libéraux, on remarque un autre trait partagé : celui des références constantes aux chartes de droits, aux décisions des tribunaux et aux avis d'organismes dont le mandat est de défendre les droits des citoyens comme la Commission des droits de la personne et des droits de la jeunesse et la Ligue des droits du Québec. Tous ces éléments convergent et esquissent l'une des frontières les plus importantes de cette constellation d'intellectuels. Les penseurs libéraux se basent sur un postulat individualiste pour fonder les principes les plus importants du vivre ensemble et de la justice. Ceci vient, de prime abord, barrer la route aux républicains conservateurs (chapitre 4, section 7), qui défendent la nécessité d'une politique de convergence culturelle pour réussir à mobiliser l'ensemble de la communauté politique autour d'une conception partagée du bien commun fondée sur l'histoire, la mémoire et l'expérience historique d'une communauté de sens.

---

27. Nootens, Geneviève (2010). « Penser la diversité : entre monisme et dualisme ». *Op. cit.*, p. 67.

De plus, l'élaboration des principes de la laïcité ouverte résumés dans le rapport Bouchard-Taylor expose bien cette finalité individualiste à laquelle tentent de répondre les idées des penseurs libéraux. On peut ainsi y lire :

> [la] laïcité comprend, selon nous, quatre grands principes. Deux définissent les finalités profondes que l'on recherche, soit : l'égalité morale des personnes ou la reconnaissance de la valeur morale égale de chacune d'entre elles, et la liberté de conscience et de religion. Les deux autres se traduisent dans des structures institutionnelles qui sont essentielles pour réaliser ces finalités, à savoir : la neutralité de l'État à l'égard des religions et la séparation de l'Église et de l'État[28].

La somme des quatre principes distincts qui viennent d'être énoncés et qui sont regroupés dans le **tableau 5.1** ci-dessous a été théorisée par Micheline Milot[29] et Jean Baubérot[30]. Aussi présente dans le rapport Bouchard-Taylor et dans le mémoire des 60 chercheurs opposés au projet de charte des valeurs[31], cette conception de la laïcité, qui affirme la prépondérance des droits individuels, découpe donc les principes qui la soutiennent en deux catégories : deux moyens et deux finalités.

Tableau 5.1

LES QUATRE PRINCIPES DE LA LAÏCITÉ SELON MILOT REPRIS DANS LE RAPPORT FINAL DE LA COMMISSION BOUCHARD-TAYLOR	
Moyens	**Finalités**
• Séparation de l'Église et de l'État	• Égalité des citoyens indépendamment de leur culte/non culte
• Neutralité de l'État envers les citoyens	• Liberté de conscience et de religion

---

28. *Fonder l'avenir*, p. 134-135.

29. Milot, Micheline (2002). *Laïcité dans le Nouveau Monde*, et Milot, Micheline (2008). *La laïcité*. Ottawa : Novalis. Coll. « 25 questions », 128 pages.

30. Milot, Micheline et Jean Baubérot (2011). *Op. cit.*

31. « 60 chercheurs universitaires pour la laïcité, contre le Projet de Loi 60 », mémoire présenté à la Commission des institutions siégeant en janvier 2014, 20 décembre 2013, p. 8-9.

On peut voir que cette conception de la laïcité place deux finalités individualistes au-dessus des moyens qui revêtent conséquemment un rôle instrumental. Daniel Weinstock, défenseur du rapport Bouchard-Taylor et de la laïcité ouverte, adhère à cette hiérarchie des principes. Selon lui, lorsqu'il y a tension ou conflit entre les moyens et les fins, ce sont les mesures institutionnelles (lois, règlements, conventions) qui doivent faire preuve de souplesse. La laïcité ouverte, juge-t-il, incite « l'État à ne pas sacrifier les droits individuels au-delà de ce qui est strictement nécessaire afin d'assurer la neutralité de l'État[32] ».

Bouchard et Taylor, dans leur rapport final[33], ainsi que Maclure[34] concluent eux aussi que l'effacement des symboles religieux chez tous les agents de l'État n'est pas souhaitable. Pour ces derniers, il n'est pas uniquement question de liberté individuelle, mais aussi d'égalité empirique des citoyens. Trop de rigidité dans le code vestimentaire réduirait l'accès à la fonction publique pour certaines communautés qui refuseraient de limiter leur expression religieuse au nom d'un emploi qui exige une neutralité vestimentaire stricte. Ce genre de comportement d'autoexclusion nuirait, jugent-ils, aux ultimes finalités de la laïcité, dans ce cas-ci : l'égalité entre citoyens de différentes croyances.

Les penseurs libéraux avancent que la vraie neutralité se situe essentiellement dans le professionnalisme des représentants des institutions publiques, comme l'affirme Daniel Weinstock :

> [...] les tenants de la laïcité « ouverte » insistent pour que tout individu se comporte dans l'exercice de ses fonctions avec professionnalisme, impartialité, et avec un égard égal vis-à-vis de toutes les personnes à qui il prodigue des services. Et ils s'opposent aux tenants d'une neutralité plus stricte qui voudraient que le port de symboles religieux empêche l'agent de remplir ces exigences. Selon nous, le fardeau de la preuve appartient à ceux qui impo-

---

32. Weinstock, Daniel (2011). *Op. cit.*, p. 34

33. « L'apparence de neutralité est importante, mais nous ne croyons pas qu'elle justifie une règle générale qui interdirait le port de signes religieux chez les agents de l'État », *Fonder l'avenir*, p. 149.

34. Taylor, Charles et Jocelyn Maclure (2010). *Op. cit.*, p. 58.

seraient une limitation plus importante aux droits que celle qui est strictement nécessaire afin de garantir la neutralité[35].

Les défenseurs du rapport Bouchard-Taylor réunis dans la famille des penseurs libéraux tiennent aussi à faire comprendre que la laïcité ouverte ne s'applique pas qu'au registre religieux. Elle est avant tout une configuration légale des rapports entre citoyens et institutions qui vise à protéger les droits fondamentaux, non seulement des croyants, mais aussi des autres déclinaisons de la diversité : religieuse, culturelle, spirituelle, d'orientation sexuelle, d'origine, d'ethnie, etc. La laïcité ouverte que défend la famille des penseurs libéraux est considérée comme une des conditions nécessaires au respect du pluralisme.

Le conflit des valeurs entre les familles de pensée réunies dans ce livre s'observe encore une fois par l'incompatibilité entre la laïcité ouverte et la laïcité « simple » ou « sans adjectif » des républicains civiques. Jocelyn Maclure et Charles Taylor refusent que la laïcité au Québec soit appliquée tel qu'on le fait en France et tel que le souhaitent les penseurs républicains civiques (chapitre 3, sections 1 à 3), qui visent à protéger une identité collective plutôt sécularisée qui se comprend comme une distance critique à l'égard des religions et de ce qui s'y apparente : courants spirituels, sectes, ésotérisme. Pour Maclure et Taylor, la laïcité ne doit pas chercher à préserver un sens commun ou à créer une unité autour de finalités collectives comme c'est le cas des religions civiles. Par le souhait de retirer le crucifix au-dessus du siège du président de l'Assemblée nationale, on voit aussi que la position des penseurs libéraux est incompatible avec la conception d'une laïcité « réaliste » ou *négociée* qui tient compte de l'héritage chrétien souhaitée par les républicains conservateurs[36] (chapitre 4, section 1), une laïcité que certains qualifient de catho-laïcité[37].

Le **tableau** ci-dessous regroupe deux points de rupture qui ressortent entre les conceptions de la laïcité, qu'elle soit civique, conservatrice ou libérale.

---

35. Weinstock, Daniel (2011). *Op. cit.*, p. 34-35.

36. Durand, Guy (2011). *Loc. cit.*

37. Bock-Côté, Mathieu. « Nous sommes catho-laïques », *Journal de Montréal*, 16 août 2012.

Tableau 5.2

COMPARAISON DES MODÈLES DE LAÏCITÉ		
	républicains civiques	**républicains conservateurs**	**penseurs libéraux**
nature de la laïcité	la laïcité est avant tout institutionnelle et sépare la religion de l'État	la laïcité est héritière de l'évolution du christianisme	la laïcité est le prolongement logique de la culture des droits individuels
finalité	collective : la laïcité vise à préserver un sens civique commun (religion civile)	collective : la laïcité poursuit l'évolution de la culture dans laquelle elle s'édifie	individuelle : la laïcité s'applique pour respecter les droits individuels (égalité/liberté)

Dans un cas hypothétique où le Québec connaîtrait un regain de religiosité, les penseurs libéraux et défenseurs de la laïcité ouverte refuseraient que le politique intervienne ou qu'un autre modèle de laïcité serve à préserver les valeurs et l'identité historique de la société québécoise. Les penseurs libéraux conçoivent la laïcité comme la simple extension logique de l'application des droits et libertés ; voilà la vraie finalité qu'ils confèrent à ce dispositif politique qui encadre le vivre ensemble.

5.3 CONTRE UNE CHARTE DE LA LAÏCITÉ AU QUÉBEC

Comme cela a été dit précédemment, la charte des valeurs élaborée par le Parti québécois en 2013 représente la réponse politique des opposants à la laïcité ouverte du rapport Bouchard-Taylor. Fruit d'une alliance objective entre des républicains conservateurs et des républicains civiques, le projet de loi 60 a été la cible de la plus volumineuse charge critique de la part des penseurs libéraux.

Contrairement aux républicains civiques du chapitre 3, les penseurs libéraux ne considèrent pas que la laïcité est incomplète au Québec. Ces derniers, réunis dans le *Manifeste pour un Québec plura-*

liste, arguent que, malgré l'absence d'une reconnaissance officielle du terme laïcité dans les lois du Québec, rien ne permet de dire que la chose n'est pas effective sur le plan légal. Beaucoup plus qu'un mot, qu'une phrase ou qu'un document qu'on accole à une loi, la laïcité, selon eux, se dégage de l'esprit des lois. Dès lors que ces dernières ne favorisent aucune religion, une forme de laïcité s'applique indirectement.

Dans les débats sur le modèle de laïcité à appliquer au Québec, les penseurs libéraux soutiennent qu'il n'existe pas de modèle parfait dans le monde. La France, que beaucoup d'auteurs républicains civiques citent en exemple, n'applique pas une séparation pure entre l'Église et l'État. À plusieurs reprises, les penseurs libéraux rappellent que le rapport Stasi a beau avoir eu pour effet d'éliminer les symboles religieux ostensibles des élèves et employés des écoles publiques, l'État français continue de financer à 85 % les écoles privées religieuses ainsi que l'entretien et la conservation des églises et des synagogues d'avant 1905[38]. En d'autres mots, les défenseurs de la laïcité ouverte soulignent qu'aucun pays ne fait autorité en matière de laïcité, que chaque souveraineté politique applique différemment des principes qui servent des finalités similaires. Parler uniquement de laïcité «sans adjectif», comme s'il existait un modèle pur, est vu par les penseurs libéraux comme une façon de se prétendre propriétaire de l'idée afin d'imposer un modèle sans en évoquer la diversité qui existe dans le monde.

L'idée d'un modèle unique, quasi breveté ou calqué sur la France, est souvent remise en question par les penseurs libéraux[39]. Ces derniers, avec l'appui de Jean Baubérot, spécialiste français de la laïcité[40], soulignent que le rapport Stasi est une évolution récente de la laïcité française et que ce mode opératoire n'a pas été appliqué entre la célèbre loi de 1905, qui fait office symboliquement de la naissance

---

38. Côté, Roch. «La laïcité à toutes les sauces!», *L'actualité*, 1er décembre 2009, p. 28.

39. Le «Manifeste pour un Québec pluraliste» (*Le Devoir*, 3 février 2010) sert de tribune de ralliement aux défenseurs de la laïcité ouverte promue dans le rapport Bouchard-Taylor.

40. Baubérot, Jean (2008). *Laïcité interculturelle : le Québec, avenir de la France ?* Paris : Éditions de l'Aube, 283 pages.

de la laïcité dans ce pays, et 2004, date à laquelle ont été interdits les symboles religieux ostensibles dans les écoles publiques.

Pour les penseurs libéraux, comme cela a été précisé plus haut dans ce chapitre, la laïcité est l'extension de l'approfondissement de la culture des droits de l'homme et repose sur le contenu des chartes québécoise et canadienne des droits et libertés. Cette famille de pensée s'était opposée, trois ans avant le dépôt du projet de loi 60 en 2013, à l'idée d'une charte de la laïcité, car « une telle charte serait avant tout un instrument juridique interdisant la manifestation de l'adhésion religieuse dans la sphère publique ainsi que les demandes d'accommodement pour motif religieux[41] ». Dominique Leydet, qui estime elle aussi que cet instrument aurait plutôt pour effet de limiter et de restreindre les libertés, ajoute qu'il ne s'agit pas d'une solution miracle, car le Québec est une société de droit et qu'il y a souvent conflit entre les principes qui lui donnent vie :

> Si l'idée d'une charte est invoquée comme un mantra, dit la philosophe, c'est parce qu'on pense que son adoption réglerait tous les problèmes et éviterait d'avoir des discussions complexes sur des sujets complexes. Mais il y aura toujours des cas qui soulèveront la controverse. Et dans ces cas complexes, il est clair que la charte poserait des problèmes d'interprétation[42].

Un autre argument revient fréquemment au sujet de la volonté de neutraliser totalement les signes religieux. Cet argument renvoie au fait que ce genre de mesure fait preuve d'une conception unidimensionnelle du citoyen et qu'elle exige des efforts asymétriques qui varient en fonction de l'identité religieuse des gens qui auront à s'y soumettre. On retrouve cette lecture dans le *Manifeste pour un Québec pluraliste*, signé par un très grand nombre de penseurs libéraux qui jugent qu'une : « telle interdiction aurait un effet discriminatoire, car elle ne viserait que les croyants appartenant aux religions compor-

---

41. « Manifeste pour un Québec pluraliste ». *Loc. cit.*

42. Propos rapportés par Marie-Claude Bourdon, dans « Pour un espace public plus accueillant », entrevue avec Dominique Leydet, *Journal L'UQAM*, 22 mars 2010.

tant des prescriptions vestimentaires ou alimentaires[43]. » Michèle Asselin, alors présidente de la FFQ, concluait dans le même sens :

> Une loi, associée à une laïcité plus restrictive et interdisant le port de signes religieux dans les institutions publiques, ne saurait être considérée comme neutre puisqu'elle favoriserait les personnes dont les convictions philosophiques, religieuses ou spirituelles n'exigent pas le port de tels signes. Un régime de laïcité « ouverte » favorise un accès égal aux institutions publiques, tant pour les usagères et usagers que pour le personnel qui y travaille[44].

En bref, les penseurs libéraux se regroupent contre l'adoption d'une charte de la laïcité, pas dans le sens où cette philosophie ne devrait pas être officialisée, mais parce qu'elle a été mise de l'avant pour uniformiser l'image des agents de l'État et baliser leur liberté vestimentaire. Jean Dorion a assimilé cette idée à une « laïcité d'exclusion » incarnant un « paravent d'intolérance » qui ne mènerait qu'à plus de division au sein de la société, car cette « charte discriminatoire » ne serait bonne qu'à stigmatiser les croyants. Selon lui, l'interdiction de porter des symboles religieux ostensibles représenterait un geste d'exclusion incomparable en Amérique du Nord[45].

Une fois que cette idée d'une charte de la laïcité a trouvé porteur chez le ministre Bernard Drainville, tout un corpus critique a été élaboré à l'égard du projet de loi 60 par les penseurs libéraux. Parmi les dénonciations les plus virulentes de ce projet, on retrouve celle de Marie-Claude Haince, qui considère que la charte des valeurs, en s'appliquant presque exclusivement aux femmes musulmanes, s'est présentée comme une formule évidente de néoracisme. En statuant que le voile ne fait pas partie des « valeurs québécoises », la charte favoriserait, selon elle, un processus de racialisation qui fonctionne par des formes « d'ethnicisation et de minorisation permettant la dénaturalisation d'un groupe ». En d'autres mots :

---

43. « Manifeste pour un Québec pluraliste. *Loc. cit.*
44. Asselin, Michèle (2011). « La Fédération des femmes défend la cause de toutes les femmes ! ». Dans *Le Québec en quête de laïcité*, p. 126.
45. Dorion, Jean. « Charte de la laïcité – Quand un séparatiste se sépare », *Le Devoir*, 22 septembre 2012.

[…] c'est une manière de mettre la « race » – cette idée d'une supériorité de certains par rapport aux autres – au sein de pratiques et de principes apparemment neutres et objectifs – ici la laïcité – et de reconnaître, d'une certaine manière, la « différence » tout en « minorisant » et stigmatisant certains groupes. Ainsi s'opère la ségrégation tranquille[46].

Marie-Claude Haince poursuit son analyse en jugeant que l'interdiction des symboles religieux, qui s'appliquerait surtout aux minorités, s'apparente aux processus

[…] qui ont été déployés jadis à l'époque coloniale où la race était centrale dans le fonctionnement de la machine à dressage. L'immigrant – et plus particulièrement l'immigrant musulman dans les sociétés euro-américaines –, cette figure par excellence de l'étranger, renvoie effectivement à une myriade de référents qu'il faut neutraliser et remodeler, comme on le faisait autrefois avec les sauvages que l'on cherchait à civiliser[47].

D'autres penseurs libéraux répondent aussi à l'idée voulant qu'une charte de la laïcité puisse être en mesure de lutter contre l'extrémisme religieux. C'est le cas de Stéphane Courtois, qui précise que, de toute façon

[n]ombre de militants religieux radicaux et d'activistes fondamentalistes ne portent tout simplement pas de signe religieux ostentatoire et pourraient très bien infiltrer l'État et ses organisations. Quant à ceux qui arborent de tels signes, les portes des organismes publics leur seraient certes fermées à titre de travailleurs, mais cela ne les empêcherait aucunement de poursuivre leurs activités au sein de la société civile (là où, généralement, se forment et évoluent les organisations religieuses[48]).

François Charbonneau estime que le fait d'interdire des symboles religieux pourrait avoir l'effet contraire à celui recherché et mener

---

46. Haince, Marie-Claude (2014). « Ségrégation tranquille ou comment se débarrasser des intrus ». Dans *Le Québec, la Charte, l'Autre, et après ?* Marie-Claude Haince, Yara El-Ghadban et Leïla Benhadjoudja (dir.). Montréal : Mémoire d'encrier, p. 32-33.

47. *Ibid.*, p. 33.

48. Courtois, Stéphane. « Charte de la laïcité : huit préjugés », *Argument*, 10 septembre 2013, exclusivité web, www.revueargument.ca/article/2013-09-10/601-charte-de-la-laicite-huit-prejuges.html.

à la création de « milliers de martyrs religieux[49] ». Alors que Nicolas Lévesque parle d'une « charte des peurs[50] » et Jocelyn Maclure, d'un *jeu dangereux*[51], Leïla Benhadjoudja, quant à elle, considère que la charte, en s'en prenant à une figure de l'autre circonscrite par l'image du minoritaire, inspirerait une attitude de soupçon et de méfiance moulant le visage d'un suspect. Tout cela contribuant à la perte de confiance envers les institutions québécoises de la part des individus et communautés visés[52].

Rémi Bourget, fondateur de l'organisme Québec inclusif, résume la position fondamentale des penseurs libéraux contre la charte des valeurs en affirmant que ce projet constitue une attaque pure et simple contre les droits fondamentaux et que de s'opposer à la charte des valeurs est un « authentique combat pour la liberté[53] ».

En conséquence, chez les penseurs libéraux, pour marquer l'ouverture à la diversité, les manifestations religieuses par les symboles doivent être acceptées chez les agents de l'État, car aller dans un autre sens restreindrait inutilement les libertés fondamentales que la laïcité est pourtant censée défendre et nuirait à une valeur clé de cette famille de pensée : le respect de la diversité en tant que ciment du lien social.

5.4 UNE AUTRE LECTURE DE L'HISTOIRE DE LA LAÏCITÉ AU QUÉBEC

Ce lien de paternité entre laïcité et culture des droits qu'établissent les penseurs libéraux (défenseurs de la laïcité ouverte et du rapport Bouchard-Taylor) laisse entrevoir un autre trait important de ce

49. Charbonneau, François. « Contre la charte des valeurs », *Argument*, 10 septembre 2013, exclusivité web, www.revuargument.ca/article/2013-09-10/581-contre-la-charte-des-valeurs-quebecoises.html.

50. Lévesque, Nicolas (2014). « La charte des peurs québécoises ». Dans *L'urgence de penser : 27 questions à la Charte*, Livernois, Jonathan et Yvon Rivard (dir.). Montréal : Leméac Éditeur, p. 77-82.

51. Maclure, Jocelyn. « Charte des valeurs québécoises – Le jeu dangereux du Parti québécois », *Le Devoir*, 23 août 2013.

52. Benhadjoudja, Leïla (2014). « Au-delà de la folklorisation et de l'altérisation suspicieuse ». Dans *Le Québec, la Charte, l'Autre, et après ?* Haince, Marie-Claude, Yara El-Ghadban et Leïla Benhadjoudja (dir.), p. 55-74.

53. Bourget, Rémi. « Un combat pour la liberté », *La Presse*, 29 octobre 2013.

groupe. Pour eux, l'histoire de la laïcité au Québec serait plus ancienne qu'on le croit et se serait développée dans le sens de la liberté religieuse, particulièrement celle des minorités, plutôt que contre elle.

Selon plusieurs penseurs libéraux, la formule laïque qui convient le mieux au Québec est celle de l'ouverture et de la souplesse, car ce serait la tendance de fond dans l'histoire québécoise. « Contrairement à une croyance assez largement répandue, affirment Taylor et Maclure, le processus de laïcisation du Québec n'a pas débuté dans les années 1960 avec la modernisation de la société québécoise associée à la Révolution tranquille[54]. » Pour eux, la laïcisation du Québec n'aurait donc pas commencé avec le rapport Parent ou par les revendications qu'ils qualifient de *laïcistes* du Mouvement laïque de langue française, actif de 1961 à 1969. Les penseurs libéraux estiment que la laïcisation des institutions s'incarne dans l'accumulation de lois et de principes politiques qui se sont succédé depuis la Conquête et qui traduisent le renforcement d'une logique de l'égalité dans la différence. Cette lecture de l'histoire de la laïcité au Québec est parfois compatible avec celle des républicains civiques, entre autres, sur la question de neutraliser la domination de la religion catholique au Québec. Or, leur lecture devient totalement incompatible lorsque l'histoire de la laïcité est vue comme une lutte intrinsèque contre les manifestations religieuses ou comme un instrument au service de la sécularité. L'opinion de Denis Saint-Martin représente bien la vision des penseurs libéraux au sujet de l'historique des mesures laïques au Québec: « La laïcité stricte des institutions, un principe importé de France, n'a absolument rien à voir avec l'expérience historique du Québec en terre d'Amérique[55]. » Lysiane Gagnon voit les choses d'un même œil. Qualifiant la volonté des Intellectuels pour la laïcité[56] de laïcité « totale », elle considère leur formule comme « beaucoup trop rigide, et en rupture complète avec la

---

54. Taylor, Charles et Jocelyn Maclure (2010). *Op. cit.*, p. 70.

55. Saint-Martin, Denis. « Motion contre le port du kirpan à l'Assemblée nationale : totale hypocrisie politique », *Le Devoir*, 11 février 2011.

56. « Déclaration des Intellectuels pour la laïcité. Pour un Québec laïque et pluraliste », *Le Devoir*, 16 mars 2010.

culture politique nord-américaine[57] ». Selon elle, la gestion de la diversité religieuse québécoise devrait donc poursuivre sur sa lancée, qui s'inscrit dans une « tradition d'ouverture[58] ».

Certains auteurs de cette famille de pensée évoquent divers événements (lois, politiques et jugements) qui ont bâti progressivement l'identité laïque du Québec et du Canada parce qu'ils ont fait avancer l'égalité et la liberté des citoyens québécois indépendamment de leur religion.

Comme Milot[59] et les 60 chercheurs universitaires opposés à la charte des valeurs[60], le rapport Bouchard-Taylor[61] fait référence d'abord au Traité de Paris de 1763[62], qui reconnaissait aux nouveaux conquis le droit de pratiquer leur culte ainsi qu'une autonomie partielle de leurs institutions religieuses malgré le changement de régime par la force. On parle aussi de l'Acte de Québec de 1774 pour souligner le mouvement vers une laïcisation des lois sur le territoire laurentien. En abolissant le serment du test, qui obligeait jusque-là l'abjuration de la fidélité au pape, un début de neutralité religieuse s'est mis en place et a permis aux catholiques d'accéder aux postes de la fonction publique bien que leur foi demeurait incompatible avec *the Church of England* – la religion officielle de l'Empire anglais de l'époque.

On cite également l'Acte constitutionnel de 1791, qui, tout en créant le Haut et le Bas-Canada, interdisait aux membres du clergé, catholiques comme anglicans, de se faire élire[63]. Cette limite de l'influence des représentants cléricaux dans la vie parlementaire

57. Gagnon, Lysiane. « La laïcité pure et dure », *La Presse*, 18 mars 2012.

58. Gagnon, Lysiane. « Drôle de colombe », *La Presse*, 25 septembre 2012.

59. Milot, Micheline (2002). *Laïcité dans le Nouveau Monde*.

60. « 60 chercheurs universitaires pour la laïcité, contre le Projet de Loi 60 », mémoire présenté à la Commission des institutions siégeant en janvier 2014, 20 décembre 2013, p. 8-11.

61. *Fonder l'avenir*, p. 139.

62. Voici le texte dans son orthographe originale du quatrième article du Traité de Paris concernant le catholicisme dans la nouvelle *Province of Quebec* : « *Sa Majesté Britannique convient d'accorder aux Habitans du Canada la Liberté de la Religion Catholique ; En Conséquence Elle donnera les Ordres les plus précis & les plus effectifs, pour que ses nouveaux Sujets Catholiques Romains puissent professer le Culte de leur Religion selon le Rite de l'Église Romaine, en tant que le permettent les Loix de la Grande Bretagne.* », cité dans Milot, Micheline (2002). *Laïcité dans le Nouveau Monde*, p. 44.

63. *Ibid.*, p. 49.

affichait un progrès certain de la séparation entre le pouvoir religieux et le pouvoir politique au Canada. Cette mesure politique abaissait une seconde fois le statut de la religion anglicane (religion officielle de l'Empire) au même niveau que la religion des conquis. Cette rétrogradation de l'Église anglicane montre le premier jalon du principe de neutralité religieuse au Canada ; il y avait en quelque sorte déconfessionnalisation du politique. Cette évolution politique du Canada fait dire à Louis Rousseau que la laïcité existe en partie, de manière technique, au moins depuis le milieu du XIXe siècle sinon avant[64] et à Jean Baubérot qu'il « s'est donc opéré une laïcisation juridique sans qu'il soit besoin d'une mise en avant narrative de la laïcité[65] ».

À partir des événements survenus dans l'après-Conquête et avant l'Acte d'Union de 1840, les penseurs libéraux considèrent que ces quelques pas en faveur de l'esprit de la laïcité se sont faits au nom de la liberté religieuse du groupe dominé politiquement, c'est-à-dire les catholiques récemment conquis. Ces transformations des structures politiques n'ont pas été entreprises contre la religion en soi, mais pour le nivellement égalitaire des cultes qui existaient à cette époque : catholique et protestant. En répondant au texte des Intellectuels pour la laïcité[66], qui se référaient aux luttes laïques des patriotes, Pierre Anctil lit cette trame historique dans un sens différent et y voit les formes embryonnaires de l'esprit de la laïcité ouverte :

> Ces mêmes individus, Papineau en tête, n'en avaient pas moins appuyé en 1832 l'obtention par les juifs des pleins droits, parce qu'ils croyaient que la tolérance et le respect pour les minorités religieuses venues s'établir au Bas-Canada étaient une garantie quant à leurs propres libertés politiques et culturelles. Ces droits, les juifs de Montréal et d'ailleurs au Québec avaient pu en jouir plus d'une génération avant leurs coreligionnaires vivant en

---

64. Rousseau, Louis (2011). « Le cours Éthique et culture religieuse. De sa pertinence dans un État laïque ». Dans *Le Québec en quête de laïcité*, p. 100.

65. Baubérot, Jean (2008). *Op. cit.*, p. 182.

66. « Déclaration des Intellectuels pour la laïcité. Pour un Québec laïque et pluraliste », *Le Devoir*, 16 mars 2010.

Grande-Bretagne et ailleurs dans l'Empire. Le principe de la reconnaissance d'une laïcité ouverte et généreuse n'a donc pas attendu notre époque pour se manifester de manière éclatante[67].

D'autres réformes légales pourraient être citées en exemple. En 1851 était adoptée la *Loi sur la liberté des cultes*, ce qui, selon Micheline Milot, « équivaut à une reconnaissance encore plus explicite de l'égalité des cultes[68] », car elle n'offrait aucune reconnaissance officielle aux religions catholique ou anglicane du Haut et du Bas-Canada. En 1864, la loi fédérale sur le divorce venait affirmer d'un ton supplémentaire le processus de séparation entre le droit et la volonté des institutions religieuses, car ces dernières refusaient que l'on reconnaisse de telles procédures, contraires au dogme de l'Église et des liens sacrés du mariage. En matière de mariage et de liberté religieuse, Taylor et Maclure[69] évoquent l'affaire Delpit-Côté de 1901 où un juge de la Cour supérieure a statué qu'un mariage entre deux catholiques devant un prêtre protestant avait une valeur légale contrairement à l'opposition des évêques catholiques de l'époque. Ce jugement, en redéfinissant le mariage en tant que lien civil[70], venait entériner le principe cher aux penseurs libéraux selon lequel l'égalité des citoyens quant à l'accès aux institutions ne devait pas être limitée en fonction de la religion.

L'affaire Joseph Guibord est aussi mise de l'avant pour parler des progrès laïques au Québec. Le jugement final de 1874 du Conseil privé de Londres[71], qui a ordonné d'inhumer le corps du typographe dans le cimetière catholique Côte-des-Neiges à Montréal malgré le refus catégorique de Monseigneur Bourget (1799-1885), résume, aux yeux des penseurs libéraux réunis dans ce chapitre, l'existence d'une séparation en construction entre Église et État en faveur de la

---

67. Anctil, Pierre. « Qui a peur du multiculturalisme ? », *Le Devoir*, 20 février 2010.

68. Milot, Micheline (2002). *Laïcité dans le Nouveau Monde*, p. 79-80.

69. Taylor, Charles et Jocelyn Maclure (2010). *Op. cit.*, p. 71.

70. Milot, Micheline (2002). *Laïcité dans le Nouveau Monde*, p. 88.

71. Entité qui détenait la souveraineté finale, en matière légale, comme le fait la Cour suprême du Canada aujourd'hui.

suprématie des droits individuels (le droit à la sépulture) sur les impératifs cléricaux.

D'autres cas relatifs aux droits des minorités ont été rappelés, comme celui du commerçant jéhoviste Frank Roncarelli qui avait vu son permis d'alcool révoqué par un geste arbitraire de Maurice Duplessis en 1946. La Cour suprême du Canada[72], en donnant raison au restaurateur en question, venait ajouter une brique laïque supplémentaire dans l'édifice canadien des droits et libertés en ce qui a trait à liberté et l'égalité des minorités religieuses.

Les auteurs du *Manifeste pour un Québec pluraliste* résument l'essence qui devrait être celle de la laïcité selon eux. Cette dernière étant vue comme le développement de la culture démocratique, des droits individuels et de la liberté religieuse :

> […] la séparation de l'Église et de l'État, explicitement reconnue par nos tribunaux dès les années 1950, est conceptualisée depuis comme découlant des libertés fondamentales garanties par les chartes des droits. Les droits et libertés sont plus qu'un ensemble désincarné de normes. Au contraire, le respect des droits des minorités, notamment religieuses, fait partie de notre tradition, dont les chartes des droits sont les héritières[73].

À la lumière des dates et des événements qui viennent d'être énumérés dans cette section, la vision du progrès de la laïcité pour les penseurs libéraux ne traduit pas une hostilité contre la religion en soi, mais plutôt un souci d'égalité des citoyens indépendamment de leur culte. On y voit une sensibilité pour la justice envers les groupes minoritaires (juifs, témoins de Jéhovah, francs-maçons, athées) ou une posture critique envers les lois qui se trouvaient à nier la neutralité religieuse. En somme, contrairement aux républicains civiques, les penseurs libéraux n'établissent pas de lien de paternité entre les mouvements anticléricaux (qu'ils voient dans l'Institut canadien, le MLF, *Parti pris* et certains patriotes d'avant l'Acte d'Union) et la laïcisation. Néanmoins, le souci de neutralité politique

---

72. Roncarelli c. Duplessis, [1959] S.C.R. 121.

73. « Manifeste pour un Québec pluraliste ». *Loc. cit.*

envers les religions laisse voir un des rares points d'entente entre penseurs libéraux et républicains civiques : le retrait du crucifix derrière le siège de l'Assemblée nationale, ceci dans le but de mieux symboliser la désunion entre cette religion historiquement majoritaire et le politique. Ces deux familles de pensée se retrouvent donc satisfaites par la proposition du rapport Bouchard-Taylor de déplacer cet objet en dehors du lieu des délibérations politiques. Ceci se faisant au déplaisir des républicains conservateurs, qui tiennent au maintien de ce symbole là où il loge depuis 1936.

5.5 CONTRE L'AUTOEXCLUSION, LA QUESTION DU VOILE ET DE LA LIBERTÉ DE CONSCIENCE

La prépondérance des droits individuels et la défense des minorités – à laquelle la laïcité ouverte, les accommodements raisonnables et l'interculturalisme tentent de répondre – s'inscrivent dans une philosophie plus large d'intégration de la diversité. Ces trois composantes importantes du rapport Bouchard-Taylor visent à favoriser la présence la plus ample de la diversité dans les milieux communs (espace public, institutions, milieu de travail) afin d'éviter un phénomène très préoccupant aux yeux des auteurs qui partagent cette même sensibilité : l'autoexclusion due à des discriminations considérées comme indirectes. La question du voile, qui constitue un nœud important dans la controverse entourant la laïcité québécoise, permet de bien cerner la position que défendent les penseurs libéraux concernant leur philosophie du vivre ensemble.

Françoise David représente bien la déclinaison féministe de cette famille de pensée. Pour elle, l'interdiction des symboles religieux chez les agents de l'État pourrait porter préjudice à l'égalité des sexes, car, pour les femmes, la possibilité de porter le voile dans la fonction publique « permet d'accéder à l'autonomie financière, condition souvent propice à leur émancipation[74] ». Plutôt que de voir l'émancipation des femmes (et des individus en général) par une sortie de la religion, elle et plusieurs penseurs libéraux soutiennent

---

74. David, Françoise (2011). « Des convictions et des doutes ». Dans *Le Québec en quête de laïcité*, p. 92.

que l'intégration et l'égalité économique et sociale des minorités religieuses passent par le travail. Dans cette famille de pensée, l'emploi remplit un sérieux espoir d'égalité tous azimuts pour les diverses composantes identitaires de la société, qu'elles soient sexuelles, culturelles, raciales, etc. Pour la porte-parole parlementaire de Québec solidaire[75], interdire le voile constitue une mesure non féministe et non égalitaire parce que cela entraîne une asymétrie dans la contrainte entre hommes et femmes d'une même religion, car, dans l'islam, les femmes sont celles qui portent le plus souvent des signes ostensibles. À propos de l'inclusion des minorités dans l'univers du travail, l'avis de Geneviève Nootens représente bien la satisfaction générale des penseurs libéraux à l'égard du rapport Bouchard-Taylor : « [...] une des grandes forces du rapport de la Commission [...] est sans aucun doute d'avoir fortement insisté sur l'importance de l'intégration économique des immigrants[76] ».

Selon Françoise David[77], mais aussi pour Nootens, Maclure et Karmis, les opposants à la laïcité ouverte, qu'ils soient en faveur d'une politique de convergence culturelle (républicains conservateurs) ou d'une laïcité « stricte » (républicains civiques), contribuent à expulser certaines différences hors de l'espace public et procèdent à une certaine antagonisation entre le *nous* (majoritaire) et l'*autre* (minoritaire). Selon l'avis des penseurs libéraux, les idées des républicains civiques et conservateurs, qui se sont réunis derrière la charte des valeurs québécoises, semblent vouloir établir une dichotomie « entre une majorité détentrice de la culture de convergence et les minorités qui défendraient inévitablement des positions opposées, plaçant nécessairement la première en position défensive. Cette position a le grave défaut d'homogénéiser, sinon d'essentialiser, à la fois la majorité et lesdites minorités[78] ».

---

75. Dont le parti a pris position en faveur de la laïcité ouverte sans qu'il y ait toutefois unanimité sur le sujet. Lire à ce sujet l'article de Robert Dutrisac, « La laïcité "ouverte" crée des dissensions chez Québec solidaire », *Le Devoir*, 9 mars 2010 ; et un texte d'une dissidente du parti, Michèle Sirois, « Laïcité : Québec solidaire fait fausse route », *Le Devoir*, 30 décembre 2009.

76. Nootens, Geneviève (2010). « Penser la diversité : entre monisme et dualisme ». *Op cit.*, p. 67.

77. David, Françoise (2011). *Op. cit.*

78. Dimitrios Karmis, Jocelyn Maclure, Geneviève Nootens, « Réplique à Jacques Beauchemin et Louise Beaudoin. Pourquoi opposer majorité et minorités ? », *Le Devoir*, 6-7 mars 2010.

Cette opposition dans les conceptions du bien commun telle que perçue par les penseurs libéraux entre l'*authentique québécois* et *l'autre* (qui sera examinée en détail dans la section 7) ne peut être, selon cette famille de pensée, qu'une façon d'alimenter l'exclusion et les divisions interculturelles. Ruba Ghazal affirme qu'en plus d'être désastreuse pour l'employabilité des femmes portant le hidjab, l'interdiction de ce vêtement pourrait être ressentie comme un rejet de la part de la majorité pour les minorités concernées[79].

L'opposition contre la limitation du port de symboles religieux s'est aussi fait entendre lors des débats entourant le projet de loi 94, qui proposait l'interdiction de recevoir ou d'offrir des services publics à visage couvert. Ce projet de loi, concernant indirectement le voile intégral – comme le niqab ou la burqa –, a mené à un braquage notable d'intellectuels du milieu anglophone et de son univers féministe. Cela a été en particulier le cas de l'Institut Simone de Beauvoir de l'Université Concordia et, plus largement, de la coalition No Bill 94, réunissant des féministes anglophones de partout au Canada. La coalition No Bill 94 a avancé que si ce projet de loi était appliqué, cela ne ferait que «*perpetuate gender inequality by legislating control over women's bodies and sanctioning discrimination against Muslim women who wear the niqab* [...] *Forcing a woman to reveal part of her body is no different from forcing her to be covered*[80]». Pour l'Institut Simone de Beauvoir, qui a aussi déposé un mémoire contre le projet de charte des valeurs[81] : « Le projet de loi 94 est chauviniste et présente l'image trompeuse d'un Québec ayant atteint l'égalité entre les sexes tout en sous-entendant que les communautés musulmanes sont intrinsèquement oppressives pour les femmes[82]. » Cette lecture

---

79. Ghazal, Ruba (2011). «Pour replacer le débat sur la laïcité au Québec dans son contexte». Dans *Le Québec en quête de laïcité*, p. 151.

80. No Bill 94 Coalition Statement, http://owjn.org/owjn_2009/legal-information/criminal-law/303-opposition-to-bill-94-in-quebec. Consulté le 20 janvier 2013.

81. Communiqué de l'Institut Simone de Beauvoir à propos du projet de loi 60. http://wsdb.concordia.ca/about-us/official-position-on-issues/documents/SdBMemoireProjetloi60.pdf. Consulté le 27 novembre 2014.

82. Communiqué de l'Institut Simone de Beauvoir à propos du projet de loi 94. http://wsdb.concordia.ca/about-us/official-position-on-issues/documents/SdBMemoireProjetloi60.pdf. Consulté le 20 janvier 2013.

interprète la volonté d'interdire le port de symboles religieux comme une forme de colonialisme occidental qui se présente comme supérieure aux valeurs de certains groupes minoritaires. Elle voit donc dans la laïcité stricte des penseurs républicains un instrument de marginalisation des groupes minoritaires.

À ce sujet, Françoise David pense, comme Régine Robin[83], que le voile – mais plus largement la question de la religion – s'est trouvé « instrumentalisé par les nostalgiques d'un Québec monochrome[84] ». D'autres féministes vont plus loin dans leur analyse et soutiennent même qu'un encadrement plus strict du pluralisme fait le jeu d'une idéologie hostile aux différences. C'est pourquoi Michèle Asselin, qui représentait alors la Fédération des femmes du Québec, a dit qu'il « est hors de question de jouer le jeu de l'intégrisme en nourrissant le rejet de l'"autre" ! Ce qui constitue, entre autres, le propre des intégrismes, c'est la manipulation des idées afin qu'elles servent leur politique d'exclusion et d'intolérance[85] ».

Comme Micheline Milot[86], Taylor et Maclure se demandent aussi si la neutralité vestimentaire généralisée des agents de l'État ne pourrait pas correspondre à une sorte de serment du test[87]. Non seulement cette politique vestimentaire leur paraît inutile, mais elle peut aussi s'avérer injuste, assurent-ils, car des normes trop rigides nuisent à l'inclusion de la diversité. La souplesse des normes collectives en matière religieuse, telle que l'offrent la laïcité ouverte et les accommodements raisonnables, est donc invoquée comme une stratégie globale indispensable qui servirait à éviter les comportements d'autoexclusion sociale des minorités qui seraient affectées par diverses interdictions relatives aux manifestations religieuses ou culturelles.

Pour Michèle Asselin, « les femmes issues de minorités ethniques [sont] dans des situations de vulnérabilité et d'exclusion encore plus

---

83. Robin, Régine (2011). *Nous autres, les autres : difficile pluralisme*. Montréal : Boréal, p. 110-111.
84. David, Françoise (2011). *Op. cit.*, p. 86.
85. Asselin, Michèle (2011). *Op cit.*, p. 125.
86. Milot, Micheline (2002). *Laïcité dans le Nouveau Monde*, p. 99.
87. Taylor, Charles et Jocelyn Maclure (2010). *Op. cit.*, p. 59.

importantes que pour l'ensemble des femmes[88] ». Cette lecture de l'état des choses offre une autre clé d'analyse des penseurs libéraux. Chez ces derniers, on estime que les gens qui seront les plus concernés par les normes strictes en matière de liberté religieuse souffrent déjà d'un déficit d'intégration et que plus de rigidité dans les normes ne pourrait qu'aggraver cette situation.

Contrairement à ce qu'avancent plusieurs auteurs du chapitre 3, comme Louise Mailloux, Djemila Benhabib, Daniel Baril et d'autres, le voile n'est pas considéré par les penseurs libéraux comme un symbole de soumission des femmes, ni comme du prosélytisme et encore moins comme une adhésion automatique à de l'intégrisme idéologique. Ruba Ghazal juge en ce sens que la laïcité ne doit pas être une chasse aux sorcières ni une sorte de croisade anti-religion : « [...] les femmes voilées, dit-elle, ne sont pas toutes des porte-étendards de l'islam fanatique[89] ». Les penseurs libéraux refusent ainsi catégoriquement l'argument fondé sur la *fausse conscience* des femmes qui portent le voile, et plus largement des religieux pratiquants, qui seraient sujettes sans le savoir à une domination dans laquelle elles ignoreraient même leur propre soumission. Chez les penseurs libéraux, le schéma de l'aliénation marxiste est inversé. La religion n'est pas *l'opium du peuple* qui dévie les consciences de la réalité. La réelle aliénation correspond plutôt à être empêché d'exprimer son identité religieuse. Cela est particulièrement visible chez Daniel Weinstock qui s'oppose lui aussi à la thèse de la fausse conscience. Pour lui, interdire le voile au nom de la libération des femmes musulmanes, même de celles qui affirment le porter librement, correspond à une sorte d'infantilisation de ces femmes ou, en d'autres mots, à une infériorisation de ces dernières en refusant de leur accorder la compétence intellectuelle nécessaire pour assumer leurs libertés politiques :

> L'argument selon lequel la véritable signification du foulard est sexiste placerait ses opposants dans la position embarrassante

---

88. Asselin, Michèle (2011). *Op. cit.*, p. 124.

89. Ghazal, Ruba (2011). *Op. cit.*, p. 153.

d'avoir à dire à une femme musulmane, qui ne se verrait pas comme étant opprimée du fait de porter le hijab, qu'elle ne sait pas véritablement de quoi elle parle, qu'elle est dans l'illusion idéologique. Celui ou celle qui mettrait de l'avant un tel argument adopterait une position de paternalisme moral[90].

Pour les penseurs libéraux, il n'y a pas d'opposition à faire entre piété et liberté de conscience : il ne saurait y avoir de liberté de conscience possible dans la restriction de la foi, comme le souhaitent plusieurs penseurs républicains civiques. En plus de ce rejet catégorique de la théorie de *l'aliénation religieuse*, parfois visible dans les textes des auteurs de la famille des républicains civiques, l'imbrication automatique que certains de ces derniers font entre le *signifié* et le *signifiant* des symboles religieux est jugée irrecevable. Dans la perspective libérale, chaque personne décide du sens qu'un objet détient pour elle :

> De nombreuses significations sont attachées au port du foulard : symbole religieux, symbole de vertu, symbole d'affirmation identitaire, source de fierté. Les féministes musulmanes, théologiennes et activistes, ne sont pas toutes d'accord entre elles ni avec certaines analyses que peuvent en faire des féministes occidentales[91].

En d'autres mots, prétendre que le voile serait intrinsèquement contraire à l'égalité des sexes correspond, pour l'ancienne directrice de la FFQ, *de facto* à nier l'existence et l'honnêteté d'une grande quantité de groupes de féministes musulmanes[92] dans le monde qui s'opposent en général à l'interdiction du voile sans promouvoir pour autant l'obligation de le porter.

Louis Rousseau explique que l'apparition récente de l'islam en tant que phénomène culturel qui gagne en importance au Québec est une occasion d'approfondir l'esprit de la laïcité, d'en appliquer les principes sur un objet – la société – qui s'est transformé avec le

---

90. Weinstock, Daniel (2011). *Op. cit.*, p. 40.
91. Asselin, Michèle (2011). *Op. cit.*, p. 125.
92. Pour une cartographie de ces courants de pensée, lire Ali, Zahra. *Féminismes islamiques*. Paris : La Fabrique, 2012, 229 pages.

temps. La mondialisation a engendré, dit-il, un accroissement de la diversité religieuse dû à la multiplication des origines des néo-Québécois. Ceci pose de nouvelles questions à l'égard de l'harmonisation des manifestations de la foi en société qui « gagnerait à subir de nouveaux aménagements. Cependant, ces derniers ne devraient en aucun cas réduire l'espace du religieux à celui de l'intime et du privé[93] ». En harmonie avec les orientations générales du rapport Bouchard-Taylor et ses défenseurs, un État réellement laïque, juge-t-il, doit

> [...] prendre en compte l'existence des Chartes qui garantissent aux individus le droit de se rassembler en communauté de croyances, de manifester librement leurs opinions religieuses sur la place publique, etc. La seule limite imposée étant le respect des règles de la paix sociale. Il doit également prendre en compte la densité historique des référents identitaires qui, ici comme ailleurs, interdisent une discussion enfermée dans le cercle des pures considérations juridiques. On interprète bien mal le principe de laïcité en société libérale lorsqu'on pense qu'il implique la disparition de la religion de l'espace public[94].

Louis Rousseau rejoint ainsi la position des penseurs libéraux inspirée des théories de la reconnaissance (décrite dans la première section de ce chapitre) qui estiment que les identités religieuses offrent de bonnes occasions d'approfondir les pratiques démocratiques. En ce sens, Rousseau invite, de concert avec cette famille de pensée, à ne pas prendre les pratiques religieuses à la légère étant donné le poids moral qu'elles représentent pour certaines personnes. Ainsi, il devient nécessaire de tenir compte de la signification intime des symboles comme le voile, qui relève de l'intégrité morale (un concept cher à cette famille de pensée) plutôt que de l'interpréter comme un simple vêtement dépourvu de charge identitaire profonde pour celle qui le revêt.

---

93. Rousseau, Louis (2011). *Op. cit.*, p. 100.
94. *Ibid.*, p. 101.

Dans l'ensemble, au sujet du voile et de l'islam, les penseurs libéraux ne considèrent pas que le fondamentalisme ou l'intégrisme musulman soit la principale préoccupation à avoir à propos des pratiques religieuses. C'est plutôt du côté de l'islamophobie et des représentations négatives de la diversité, telles qu'ils en perçoivent dans les médias, qu'il est légitime de s'inquiéter, car il s'agit là de puissants vecteurs de méfiance populaire qui nuisent à la tolérance interculturelle.

5.6 ABSENCE DE CRISE INTERCULTURELLE ET CRITIQUE DES MÉDIAS POPULISTES

Le ralliement autour de l'idée que la crise des accommodements raisonnables relevait avant tout des perceptions est un autre trait important des penseurs libéraux. Pour ces derniers, les commissaires ont eu raison de conclure que «les fondements de la vie collective au Québec ne se trouvent pas dans une situation critique [et que] le fonctionnement normal de nos institutions aurait été perturbé par ce type de demandes[95]».

Pour justifier cette position, Maclure affirme que les critiques qui ont été adressées aux orientations de la commission Bouchard-Taylor existaient depuis longtemps, mais qu'elles n'avaient pas réussi jusque-là à se hisser au sommet du palmarès des débats sociaux: «Il se peut donc bien, dit-il, que l'épisode des accommodements raisonnables se soit avéré la caisse de résonance dont avaient besoin les critiques du mode d'intégration pluraliste du Québec[96].»

Pour comprendre l'origine de la controverse des accommodements raisonnables, les penseurs libéraux braquent les projecteurs sur le style et la persistance de la couverture médiatique. Par exemple, pour Frédéric Bérard, des *journaux populistes* comme le *Journal de Montréal* se sont adonnés à de la propagande anti-musulmane[97].

---

95. *Fonder l'avenir*, p. 18.

96. Maclure, Jocelyn (2008). «Le malaise relatif aux pratiques d'accommodement de la diversité religieuse: une thèse interprétative». Dans *L'accommodement raisonnable et la diversité religieuse à l'école publique: normes et pratiques*. McAndrew, Marie, Micheline Milot, Jean-Sébastien Imbeault et Paul Eid (dir.). Québec: Presses de l'Université Laval, p. 225.

97. Bérard, Frédéric (2014). *La fin de l'État de droit?*, Montréal: Éditions XYZ, p. 147.

Georges Leroux soutient, de son côté, que des histoires relatives à la gestion de la diversité auraient été montées en épingle alors qu'au fond, aucun cas médiatisé «ne constituait un facteur de déstabilisation des normes collectives régissant la vie sociale au Québec, et plusieurs cas révèlent à l'analyse une inflation résultant de leur insertion dans un ensemble très médiatisé[98]». Maryse Potvin met en cause la tendance amplificatrice des médias contemporains fonctionnant par mimétisme: «[...] l'ordre du jour des médias écrits s'impose aux médias électroniques, ou vice versa, créant un effet consensuel, multiplicateur et grossissant de certains faits divers. Cette construction de la réalité devient la réalité des gens[99]». En plaçant à répétition des enjeux concernant la diversité au centre des représentations, les médias ont favorisé l'émergence de «mécanismes racisants», car ils «ont abordé la question des accommodements raisonnables sous l'angle d'une polarisation entre groupes minoritaires et majoritaire (cadre conflictuel), laissant supposer au lectorat que certaines minorités jouiraient de "privilèges" et menaceraient les valeurs communes[100]».

En accord avec cette lecture et avec la démonstration du rapport Bouchard-Taylor concernant les «distorsions[101]» entre réalité et imaginaire, Pierre Anctil juge lui aussi que les médias ont une part de responsabilité à assumer dans l'avènement de cette *inutile controverse*, car leur traitement de l'actualité de l'époque a mené «*to the erroneous belief that certain cultural and religious minorities were receiving preferential treatment in Canada*[102]».

C'est ce qui lui fait dire que la controverse entourant la Commission et son rapport a donné naissance à ce qui ressemble à une

---

98. Leroux, Georges (2009). Compte rendu de Bouchard-Taylor (2008). *Fonder l'avenir. Le temps de la conciliation.* Dans *Globe*, vol. 12, n° 1, p. 167.

99. Potvin, Maryse (2008). *Crise des accommodements raisonnables: une fiction médiatique?*, p. 249.

100. *Ibid.*, p. 166.

101. «L'enquête menée sur les cas les plus médiatisés durant cette période d'ébullition révèle que, dans 15 cas sur 21, il existait des distorsions importantes entre les perceptions générales de la population et la réalité des faits telle que nous avons pu la reconstituer», dans *Fonder l'avenir*, p. 18.

102. Anctil, Pierre (2011). «Reasonable Accommodation in the Canadian Legal Context: A Mechanism for Handling Diversity or a Source of Tension?». Dans *Religion, culture, and the state: reflections on the Bouchard-Taylor Report*, p. 28.

« hystérie médiatique[103] ». Il s'agit à son avis d'une sorte de feu de paille, car les gens principalement concernés par la diversité – c'est-à-dire là où elle se manifeste – n'ont rien appris du rapport et n'ont jamais considéré que les harmonisations culturelles posaient problème. En conséquence, Anctil se demande même s'il fallait vraiment s'adonner à une consultation d'une telle envergure : « *Was it really worth it to embark upon such a huge undertaking only to arrive at such reasonable and predictable conclusions[104] ?* » Il se trouve, en effet, des penseurs libéraux qui soutiennent, parfois de manière très vive[105], qu'il n'aurait pas fallu déployer une telle procédure de discussion collective et qu'il aurait mieux valu simplement réaffirmer « *the principles at the basis for the current policies regarding diversity and immigrant integration[106]* ». Georges Leroux affirme même que certaines oppositions au rapport s'expliquent simplement par le refus ou l'omission de lire le document lui-même[107].

Pour le rappeler, selon le rapport, si le débat entourant la conclusion a réussi à s'élever au stade de controverse sociale, c'est parce que le sujet a pincé les sensibilités particulières du groupe majoritaire, c'est-à-dire les « Québécois d'origine canadienne-française », même si les commissaires reconnaissaient qu'il n'y avait pas unanimité de sens au sein de ce groupe[108]. Pour les auteurs du rapport et ses défenseurs, il est « assez clair que la crise des accommodements est, en bonne partie, une protestation du groupe ethnoculturel majoritaire soucieux de sa préservation[109] ». Cette protestation s'explique, selon Leroux, par une sorte de blocage issu de « la peur de la disparition qui refait surface[110] ». En conséquence, ce dernier a salué le *courage* des com-

103. *Ibid.*, p. 31.

104. *Ibid.*, p. 32.

105. Robin, Régine (2011). *Op. cit.*, p. 107-100.

106. Anctil, Pierre (2011). « Introduction ». Dans *Religion, culture, and the state : reflections on the Bouchard-Taylor Report*, p. 11-12.

107. Leroux, Georges (2009). Compte rendu de Bouchard-Taylor (2008). *Fonder l'avenir. Le temps de la conciliation*, p. 171.

108. *Fonder l'avenir*, p. 207.

109. *Ibid.*, p. 119.

110. Leroux, Georges (2009). Compte rendu de Bouchard-Taylor (2008). *Fonder l'avenir. Le temps de la conciliation*, p. 172.

missaires «de ne pas flatter l'opinion nationale[111]» dans leurs conclusions.

Critique de la couverture du *Journal de Montréal*, Jean Baubérot dit même qu'un travail de sape a été orchestré pour répandre un préjugé défavorable envers le rapport Bouchard-Taylor. Ce Français, très intéressé à la gestion de la diversité québécoise et défenseur du rapport, dit qu'il a vu «se mettre en œuvre, avant même sa publication, une stratégie de délégitimation médiatique et politique très au point[112]». Il rejoint ainsi les nombreux penseurs libéraux qui blâment les divers personnages populistes[113], comme l'ex-politicien Mario Dumont en particulier[114] qui aurait instrumentalisé la controverse à des fins électorales dans le but de satisfaire un électorat rural, populiste et homogène qui soutient sa formation politique et qui ignore tout de la réalité en zone de diversité. Pierre Anctil est encore plus explicite en ce sens :

> *There is no doubt that a considerable amount of work in the area of adaptation and adjustment remains to be done among those segments of the francophone population, who until now have had minimal exposure to pluralism and who are gripped by feelings of anger and insecurity when faced with the phenomenon of immigration. This was vividly demonstrated in the unsavoury declarations made by the elected representatives of the small municipality of Hérouxville[115].*

D'autres auteurs soutiennent une lecture similaire en soulignant le contraste des perceptions entre régions et générations à l'égard des harmonisations de la diversité. Selon Leroux, habituée de vivre en milieux hétérogènes, la «jeunesse est confiante, assurée de son identité et forte de ses racines, et finalement assez peu concernée par

---

111. *Ibid.*, p. 171.

112. Baubérot, Jean (2008). *Op. cit.*, p. 248.

113. Potvin, Maryse (2008). *Op. cit.*, p. 251.

114. Brodeur, Patrice (2008). «La commission Bouchard-Taylor et la perception des rapports entre «Québécois» et «musulmans» au Québec». *Cahiers de recherche sociologique*, n° 46, p. 102.

115. Anctil, Pierre (2011). «Reasonable Accommodation in the Canadian Legal Context : A Mechanism for Handling Diversity or a Source of Tension ?». *Op. cit.*, p. 33-34.

la gestion d'un pluralisme qui lui paraît à la fois naturel et nécessaire[116]». Comme Yves Boisvert, qui postule qu'en matière de diversité, «nos enfants sont déjà ailleurs[117]», Régine Robin dit elle aussi, à propos du thème de la perception d'une menace culturelle et identitaire, que les jeunes «sont à mille lieues de ce discours[118]» et qu'en somme, les accommodements ne les intéressent même pas.

Tout en refusant de croire que les Québécois soient plus racistes qu'ailleurs, Pierre Anctil concède aux commissaires que: « *There is a greater sensitivity in Québec than in the other largely Anglophone provinces when it comes to the place of religion in the public space[119].* » Les membres de la majorité francophone, estime-t-il, sont malgré tout réticents à s'ouvrir à la diversité. Cette réserve ressemble à un réflexe d'une mémoire collective craintive au sujet de sa survie et résulte aussi d'un rapport différent, par rapport au reste du Canada, avec la question religieuse pour des raisons historiques. Des déclarations sensationnalistes, populistes ont permis de faire *ressurgir* le sentiment de la menace identitaire.

Comme ce sera abordé dans la prochaine section, Pierre Anctil avance, comme beaucoup d'autres penseurs libéraux, que pour faciliter l'intégration des minorités et de la différence au Québec, la majorité devrait faire davantage d'efforts pour s'ouvrir aux immigrants et aux minorités. C'est pourquoi les penseurs libéraux (en particulier Louis Rousseau, Georges Leroux et Régine Robin) ont été au diapason avec le rapport Bouchard-Taylor, qui propose dans ses recommandations finales au gouvernement «de faire une promotion énergique du nouveau cours d'Éthique et culture religieuse[120]», car il s'agit d'une plateforme qui servirait à l'apprivoisement des différences et au dialogue interculturel. Selon le rapport, une éducation en ce sens permettrait d'éviter que de pareilles controverses

---

116. Leroux, Georges (2009). Compte rendu de Bouchard-Taylor (2008). *Fonder l'avenir. Le temps de la conciliation. Op. cit.*, p. 174.

117. Boisvert, Yves. «Nos enfants sont déjà ailleurs», *La Presse*, 23 mai 2008.

118. Robin, Régine (2011). *Op. cit.*, p. 121.

119. Anctil, Pierre (2011). «Reasonable Accommodation in the Canadian Legal Context: A Mechanism for Handling Diversity or a Source of Tension?». *Op. cit.*, p. 30.

120. *Fonder l'avenir*, p. 272.

identitaires se reproduisent dans l'avenir au sujet des harmonisations culturelles et religieuses dans l'espace public.

5.7 RAPPORT MINORITÉS-MAJORITÉ ET INTERCULTURALISME

Les défenseurs du rapport Bouchard-Taylor qui sont regroupés dans la famille des penseurs libéraux partagent une même volonté bien évidente de se tenir à distance du «nous» des républicains conservateurs (**chapitre 4**, **section 4**). De plus, ils appuient le rapport, qui souligne le rôle prépondérant que doit jouer la majorité québécoise en matière d'ouverture à la diversité. Plus encore, le nationalisme essentiellement civique du document[121] constitue un point de ralliement dans le discours de la présente famille de pensée, car, soutient-on, fonder la nation sur autre chose que la citoyenneté serait nécessairement exclusif et contribuerait à créer des citoyens de deuxième catégorie. Cela permet de comprendre le rejet notable chez les penseurs libéraux de la politique de convergence culturelle que Gérard Bouchard qualifie de modèle assimilationniste[122]. Pour ce dernier, c'est plutôt sur une ouverture du récit collectif, tel qu'il l'énonçait dans ses travaux antérieurs[123], qu'il faut miser pour mieux rassembler la diversité québécoise. Comme cela figure aussi dans le rapport de la commission[124] qui porte son nom, le récit identitaire doit être un processus, une narration sans cesse révisée en fonction du contexte social et des enjeux d'une époque. Le récit collectif doit aussi répondre aux enjeux qui se posent à une société, dans ce cas : inclure et rassembler. Pour Bouchard, la réécriture de l'histoire nationale au bénéfice de l'inclusion de tous est une obligation démocratique. La réalité démographique objective de l'accélération de la diversité rend inévitable la «rupture avec l'ancien paradigme de l'homogénéité[125]». Cette refonte du cadre national doit aussi être entreprise lorsque l'on considère qu'une des fonctions de base de l'histoire nationale est d'être utile «à des fins humanitaires, pour créer plus de cohésion entre ses composantes, dans le but d'éveiller

---

121. *Ibid.*, p. 121.

122. Bouchard, Gérard (2012). *L'interculturalisme : un point de vue québécois.* Montréal : Boréal, p. 137.

123. Bouchard, Gérard (1999). *La nation québécoise au passé et au futur.* Montréal : VLB, 157 pages.

124. *Fonder l'avenir*, p. 123-128.

125. Bouchard, Gérard (1999). *La nation québécoise au passé et au futur*, p. 18.

l'esprit à la diversité des croyances et des mentalités, pour rapprocher les groupes ethniques et faire obstacle aux stéréotypes, à la discrimination, à l'exclusion[126] ». Tel était le souhait de Gérard Bouchard avant la commission Bouchard-Taylor. Cette volonté de réinterpréter l'histoire en fonction des enjeux du présent transparaît aussi dans le rapport final de la Commission :

> [...] l'avenir du passé demeure une question ouverte, et ce pour deux raisons : a) il n'existe pas de déterminisme historique, il arrive souvent que le passé ne tienne pas les promesses qu'on a cru y lire, chaque génération redéfinit, s'approprie la tradition à sa façon et la projette vers l'avant ; b) à tout moment, on peut percevoir plusieurs trames dans le passé, il n'est jamais linéaire, ce qui rend complexe la question de la fidélité à l'histoire. En définitive, le débat public, démocratique, est ici le seul arbitre[127].

En conséquence, pour les penseurs libéraux, la marginalité ne serait pas le résultat d'une volonté partielle ou entière de rester à l'écart de la société, mais le résultat des normes insuffisamment inclusives ou d'une identité trop peu ouverte à la différence et à la nouveauté. Voilà pourquoi l'interculturalisme (compatible avec la réécriture plus inclusive du récit collectif, avec les accommodements raisonnables et la laïcité ouverte) surpasserait la politique de convergence culturelle et le « nous » des républicains conservateurs.

On retrouve en effet, à l'égard de ce discours, parfois des réserves et des réticences, d'autres fois des charges virulentes. Deux interprétations plus radicales pourraient être citées pour montrer la sensibilité très apparente de certains auteurs de cette famille de pensée. Régine Robin affirme qu'en voulant faire reconnaître la légitimité « du désir de la majorité francophone de former le cœur de la nation[128] », Jacques Beauchemin met en avant un *nous* « terriblement exclusif[129] ». Bina Toledo Freiwald, quant à elle, associe la thèse du *nous majoritaire*

---

126. *Ibid.*, p. 102.
127. *Fonder l'avenir*, p. 125.
128. Beauchemin, Jacques. « La question identitaire mal posée », *La Presse*, 23 mai 2008.
129. Robin, Régine (2011). *Op. cit.*, p. 126-127.

de Jean-François Lisée[130] à une conception « *blood descent* » de la nation et détecte dans le discours de Jean Tremblay, qui lie identité québécoise et catholicisme, un discours représentant un « *kinship model* », c'est-à-dire des modèles identitaires fondés sur *l'hérédité* ou la *lignée ancestrale* reposant sur la descendance par le sang[131].

Dans une critique plus modérée, Pierre Anctil s'oppose au discours du *nous*, car : « L'histoire du Québec ne peut plus être analysée d'un seul bloc comme autrefois, avec le Canada français en son centre et en marge les influences extérieures qui menacent son intégrité et sa survie[132]. » C'est ce qui lui permet de s'opposer à la volonté de Jacques Beauchemin et celle des républicains conservateurs, qui souhaitent réunir la diversité autour d'une communauté politique façonnée par 400 ans d'histoire[133] dans le but d'en prolonger l'expérience et les sensibilités pour maintenir en vie un certain sens commun.

Plus généralement, on remarque une résistance envers tout discours fondé sur la distinction nous/eux. Les penseurs libéraux tiennent à prolonger la volonté des néonationalistes des années 1960, qui ont voulu sortir de la conception *groulxienne* de la nation, qu'on peut définir globalement comme un nationalisme ethno-culturel qui voit la nation comme une sorte d'être collectif, doté d'une mémoire, d'un passé, de préoccupations, de projets et d'une conception de lui-même ; bref un tout singulier fait de particularités historiquement situées[134]. En conséquence, les défenseurs du rapport affichent une opposition de front à la vision des défenseurs du « nous » québécois :

> […] nous tenons à prendre nos distances par rapport à un discours récent sur le ou les Nous québécois. Il y a d'abord une ambiguïté dans les termes (qui est inclus ou exclu ?). Il y a ensuite une

130. Lisée, Jean-François (2007). *Nous*. Montréal : Boréal, 106 pages.

131. Toledo Freiwald, Bina (2011). « "Qui est nous ?" Some Answers from the Bouchard-Taylor Commission's Archive ». Dans *Religion, culture, and the state : reflections on the Bouchard-Taylor Report*. Adelman et Anctil (dir.), p. 79.

132. Anctil, Pierre. « Qui a peur du multiculturalisme ? », *Le Devoir*, 20 février 2010.

133. Beauchemin, Jacques. « La question identitaire est mal posée », *La Presse*, 23 mai 2008.

134. Boily, Frédéric (2003). *La pensée nationaliste de Lionel Groulx*. Sillery : Septentrion, 229 pages.

grande imprudence à appuyer ainsi sur la spécificité des Nous ; il peut en résulter un durcissement des différences ethnoculturelles. Tout cela nous semble contraire à l'esprit de l'interculturalisme[135].

Cette opposition au « nous » se comprend aussi comme un refus de la « responsabilité normale » d'intégration, formulée surtout par Mathieu Bock-Côté[136], qui fait reposer le devoir d'intégration avant tout sur le nouvel arrivant plutôt que sur la société d'accueil. Les mots de Pierre Anctil représentent bien ce trait de pensée chez les penseurs libéraux, qui s'opposent à l'idée du « nous » des républicains conservateurs. Selon lui, le rapport Bouchard-Taylor a eu le courage d'affirmer que :

> [...] *the community on the receiving end, meaning the demographic majority in Québec, has an undeniable responsibility in the establishment of a climate that fosters dialogue between cultures and the full participation of cultural and religious minorities*[137].

Denis Saint-Martin interprète la chose de la même façon, mais dit plus explicitement que la majorité doit s'adapter : « Au Québec, c'est la majorité francophone qui dispose du pouvoir dans les institutions politiques. C'est donc à elle qu'incombe la responsabilité de faire de la place à ceux et celles qui n'ont pas cet avantage[138]. » Julius Grey précise pourquoi un effort supplémentaire incombe à la majorité : « Si le rapport [Bouchard-Taylor] place une bonne partie du fardeau sur la majorité, c'est parce que l'intégration est difficile et parce que les pressions imposées sur les immigrants sont beaucoup plus draconiennes que celles que vivent les gens établis depuis longtemps[139]. »

---

135. *Fonder l'avenir*, p. 121.

136. Ce dernier considère en effet que l'accommodement raisonnable « inverse le devoir d'intégration » qui suppose que l'effort d'adaptation revient normalement aux immigrants plutôt qu'à ceux qui l'accueillent. Mathieu Bock-Côté, « La main tendue », *Journal 24 heures*, 26 janvier 2011.

137. Anctil, Pierre (2011). « Reasonable Accommodation in the Canadian Legal Context : A Mechanism for Handling Diversity or a Source of Tension ? ». *Op. cit.*, p. 32-33.

138. Saint-Martin, Denis. « Motion contre le port du kirpan à l'Assemblée nationale. Totale hypocrisie politique », *Le Devoir*, 11 février 2011.

139. « Un appel à l'intégration », *Journal de Montréal*, 26 mai 2008.

La position que défendent Anctil, Saint-Martin, Grey, le rapport Bouchard-Taylor et d'autres penseurs libéraux prolonge la théorie de la reconnaissance qui a été abordée dans la section 1 de ce chapitre. Elle considère que les minorités ne sont pas en position de force au Québec et que la voix politique, reposant sur la volonté majoritaire, ne peut être la garantie d'un traitement juste à leur endroit. En ce sens, Régine Robin explique comment doit s'articuler le rapport entre la majorité, les minorités et le droit :

> [...] dans une démocratie libérale, qu'elle soit assortie ou non de déclaration des droits de l'homme et du citoyen, de charte des droits et libertés, les membres les plus fragiles que l'on doit protéger, ce sont précisément les minorités. Jamais une charte, jamais des principes démocratiques n'ont eu pour but de protéger la majorité contre ses minorités, quelles que soient les perceptions de ladite majorité[140].

La position de Régine Robin rejoint donc les propos cités plus haut de Benjamin Constant, mais aussi ceux d'André Pratte au sujet de la tension entre volonté majoritaire et intérêts minoritaires : « Dans une démocratie libérale, dit-il, la majorité n'a pas tous les droits, les minorités sont explicitement protégées[141]. » Cela permet de comprendre pourquoi François Charbonneau affirmera plus tard que la charte des valeurs du Parti québécois – en interdisant le port de symboles religieux aux minorités employées par l'État – représente « l'incarnation même » de la tyrannie de la majorité[142].

Ceci remet en relief l'importance qu'accordent les penseurs libéraux au pouvoir contraignant du droit sur la volonté politique ainsi que la propension de cette famille de pensée pour les chartes des droits et la conception libérale (plutôt que républicaine) de la liberté. De plus, leur penchant à équilibrer les intérêts de la majorité et des minorités en dehors du politique fait ressortir leur tendance

---

140. Robin, Régine (2011). *Op. cit.*, p. 122.

141. Pratte, André. « La solution », *La Presse*, 25 mai 2008.

142. François Charbonneau, « Contre la charte des valeurs », *Argument*, exclusivité web, 10 septembre 2013, www.revueargument.ca/article/2013-09-11/581-contre-la-charte-des-valeurs-quebecoises.html.

forte à interpréter la justice comme la conclusion des réflexions éthiques plutôt que comme la conséquence des délibérations collectives. Ce même raisonnement fait dire à Jean Baubérot qu'il faut se méfier de « toute hypertrophie du quantitatif », car « l'attention portée aux minorités est un des critères les plus essentiels de la démocratie[143] ».

5.8 AMBIGUÏTÉ AU SUJET DE LA DISTINCTION ENTRE L'INTERCULTURALISME ET LE MULTICULTURALISME

Une équivoque persiste au sein des penseurs libéraux en ce qui a trait à l'interculturalisme. Un désaccord apparaît en effet parmi ce groupe pour ce qui est de savoir si ce concept est clairement différent du multiculturalisme ou s'il en est une variante avec des particularités québécoises. Certains soutiennent, comme Daniel Weinstock, que le multiculturalisme n'est pas tel que le décrivent ses détracteurs :

> La principale différence entre ces deux modèles tiendrait à ce que les Canadiens privilégieraient un multiculturalisme ghettoïsant, alors que l'interculturalisme québécois insisterait sur une certaine convergence culturelle. Cette différence ne tient qu'à condition que l'on continue à croire à une vision caricaturale, reconduite dans le rapport, de ce qu'est en fait le multiculturalisme canadien. Loin d'inviter à la fragmentation sociale, le multiculturalisme canadien est et a toujours été un outil d'intégration[144].

Pour Weinstock, cette *vision caricaturale* québécoise au sujet du multiculturalisme s'explique évidemment par l'hostilité historique des souverainistes à l'égard de la conception identitaire de Pierre Elliott Trudeau, mais aussi par une « frilosité identitaire qui fait craindre que l'apport de l'autre ne soit pas qu'enrichissement culturel mais aussi érosion identitaire[145] ». Jack Jedwab défend aussi la thèse de la fausse réputation du multiculturalisme, car, soutient-il, cette politique a évolué depuis son adoption officielle en 1971. Pour lui, « la dichotomie qui oppose le multiculturalisme à l'interculturalisme

---

143. Baubérot, Jean (2008). *Op. cit.*, p. 244.

144. Weinstock, Daniel. « Bouchard aurait dû s'y attendre », *La Presse*, 11 juin 2008.

145. Weinstock, Daniel (2007). *Op. cit.*, p. 21.

sonne faux. En réalité, l'approche des deux gouvernements [fédéral et provincial] est mieux caractérisée comme étant de l'interculturalisme multiculturel (ou du multiculturalisme interculturel)[146] ».

Pierre Anctil, qui « refuse de faire l'apologie tous azimuts du multiculturalisme », entre autres dû au fait que cette politique est défavorable à l'intégration des nouveaux arrivants à la francophonie, concède que fondamentalement, sur le reste, les distinctions entre interculturalisme et multiculturalisme ne sont pas de l'ordre des images renversées : « […] entre l'idéologie fédérale et l'interculturalisme, il n'y a sur le front de l'ouverture à la diversité que des distinctions de forme[147]. » Jean Baubérot, en se référant aux travaux de Kymlicka[148], tient aussi à nuancer le sombre portrait dessiné par les nationalistes québécois au sujet de la politique fédérale[149].

Or, un contraste apparaît chez plusieurs autres penseurs libéraux, qui cherchent plutôt à faire comprendre que la distinction est substantielle, autant dans la forme que dans l'essence. Ces derniers soutiennent que l'interculturalisme est une position mitoyenne entre l'assimilationnisme français et le multiculturalisme[150]. Ils présentent ce modèle comme étant typiquement québécois, car il fait du français la langue publique et il accorde une place prépondérante à la culture majoritaire dans l'enseignement de l'histoire et au christianisme dans le cours ÉCR.

Pour Bouchard, l'interculturalisme est plus en mesure de créer et de rassembler que le multiculturalisme dans le contexte québécois, car il est mieux appliqué au caractère minoritaire de la nation québécoise en Amérique du Nord. L'interculturalisme mise moins sur le maintien des différences que le multiculturalisme (qui se veut différent du *melting-pot* américain et qui nie l'existence d'une culture

---

146. Jedwab, Jack. « Le mythe du Québec interculturel », *Le Devoir*, 24 mai 2011.

147. Anctil, Pierre. « Qui a peur du multiculturalisme ? », *Le Devoir*, 20 février 2010.

148. Kymlicka, Will (2001). *La Citoyenneté multiculturelle : une théorie libérale du droit des minorités*. Montréal : Boréal, 360 pages. Kymlicka, Will (2003). *La voie canadienne : repenser le multiculturalisme*. Montréal : Boréal, 342 pages.

149. Baubérot, Jean (2008). *Op. cit.*, p. 171.

150. Bouchard, Gérard (2012). *L'interculturalisme : un point de vue québécois. Op. cit.*, p. 94-104. Gagnon, Alain-G. et Raffaele Iaconivo (2007). *De la nation à la multination : les rapports Québec-Canada*. Montréal : Boréal, p. 127-160.

majoritaire) et se trouve axé davantage sur les échanges pour faire avancer une coévolution des cultures présentes au Québec. Régine Robin soutient, en ce sens, qu'avec ce modèle, il n'y a pas de culture de convergence qui placerait la culture de la majorité au-dessus des autres. Il y a plutôt des échanges bidirectionnels entre minorités et majorité, entre anciens et nouveaux[151]. En gros, pour Bouchard[152] et Nootens[153], l'interculturalisme limite le multiculturalisme canadien, qui ne reconnaît pas le caractère multinational du Canada.

Quoi qu'il en soit, malgré la division des penseurs libéraux au sujet des rapprochements entre multiculturalisme et interculturalisme[154], tous s'entendent pour dire qu'ils sont d'authentiques modèles pluralistes qui font contraste avec les modèles républicains, que ce soit celui des civiques (à la défense d'une religion civile plutôt séculière) ou celui des conservateurs (fondé sur une culture de convergence). Malgré le *dissensus* au sujet de la conception précise de l'interculturalisme, les penseurs libéraux dégagent tout de même un rapprochement de principe plutôt favorable au pluralisme culturel, car ils refusent d'accorder une place dominante à une culture, qu'elle soit civique ou fondée sur l'histoire, aux dépens des autres.

5.9 ANALYSE DES VALEURS CLÉS DES PENSEURS LIBÉRAUX

L'étude du conflit des valeurs survenu lors de la controverse sur la laïcité permet d'affirmer que les penseurs libéraux qui ont été réunis dans ce chapitre auraient pu être désignés selon d'autres termes, car des appellations apparentées épousent bien les formes de leur échelle de valeurs. Ils auraient pu être regroupés sous le nom de *penseurs progressistes*, comme *intellectuels inspirés de la philosophie de la reconnaissance* ou comme *défenseurs du pluralisme culturel*. Ceci s'explique par la place prépondérante que ces voix accordent à

---

151. Robin, Régine (2011). *Op. cit.*, p. 116-117.

152. Bouchard, Gérard (2012). *L'interculturalisme: un point de vue québécois.*

153. Nootens, Geneviève (2010). «Penser la diversité: entre monisme et dualisme». *Op. cit.*, p. 59.

154. Pour une recension exhaustive du débat entre penseurs libéraux au sujet de l'interculturalisme, lire Rocher, François, Micheline Labelle, Ann-Marie Field et Jean-Claude Icart (2008). *Le concept d'interculturalisme en contexte québécois: généalogie d'un néologisme.* Rapport présenté à la Commission de consultation sur les pratiques d'accommodement reliées aux différences culturelles. Montréal, décembre, p. 39-46.

l'égalité dans la différence et aux moyens asymétriques qu'ils mettent de l'avant pour y arriver, comme c'est le cas de la laïcité ouverte, qui ne remet pas en question l'accommodement raisonnable fondé sur des revendications religieuses.

Cette posture qui revendique un effort supplémentaire en matière d'ouverture cherche à répondre à une inquiétude très vive concernant les comportements d'autoexclusion de certains membres de la société qui se trouvent en situation de déficit d'intégration. Ceci explique bien le rejet de la charte des valeurs de la part des penseurs libéraux, qui jugent que ce genre de projet ne peut se faire qu'au prix d'une marginalisation des individus concernés par une telle loi. Ce raisonnement permet de rappeler la valeur cardinale de cette famille de pensée : la restriction des libertés individuelles est l'avenue inverse à suivre pour garantir le succès de l'intégration de la diversité sociale. La clé de l'inclusion n'est pas la contrainte, mais l'ouverture ; ce qui oblige à accepter de faire des compromis et même de remettre en question les normes collectives.

On comprend donc pourquoi les penseurs libéraux se sont braqués contre le discours du « nous » des républicains conservateurs, mais aussi contre la philosophie sociale des républicains civiques, qui s'appuie sur une sorte de contrat social axé uniquement sur la transmission d'un esprit civique et de valeurs politiques comme l'égalité des sexes et la séparation de l'Église et de l'État. Ces deux positions adverses nuisent à la reconnaissance des identités particulières et minoritaires chère aux penseurs libéraux et à la raison communicationnelle qui voit plutôt la justice comme le résultat du dialogue permanent entre les diverses composantes de la société.

En somme, cette famille de pensée conçoit l'identité québécoise comme une image animée qui se mute au rythme du temps sans qu'il y ait de canevas préétabli (c'est-à-dire une nation culturelle préexistante comme chez les républicains conservateurs) ou des valeurs universelles servant de fondement à une religion civile (comme le souhaitent les républicains civiques). Pour les penseurs libéraux, ces deux modèles identitaires ne sont pas admissibles, car ils ne sont pas d'authentiques aménagements des principes pluralistes.

Tous deux sont interprétés comme contraires, en partie, au respect des droits individuels. Pour les défenseurs du rapport Bouchard-Taylor, la tendance assimilatrice qui caractérise les idées des deux groupes républicains menace donc la dignité et l'habilitation des citoyens pour qui la religion occupe une place importante dans leur identité.

On constate parmi les penseurs libéraux une présence marquée d'éthiciens, d'avocats, de pédagogues, de philosophes, de groupes communautaires, de militants du courant antiraciste, de groupes de défense ou d'intégration des immigrants et des minorités. Ces profils professionnels, très visibles parmi les centaines de signataires du *Manifeste pour un Québec pluraliste*[155], sont eux-mêmes inspirés par les travaux et la pensée d'auteurs comme John Rawls, Jürgen Habermas, Charles Taylor, Axel Honneth et Will Kymlicka. Ceci confirme les sensibilités très fortes des penseurs libéraux de ce chapitre pour les droits individuels et la défense des minorités. Leur but étant de servir trois valeurs fondamentales : liberté, égalité et diversité.

---

155. *Le Devoir*, 3 février 2010.

CONCLUSION
Défaire les nœuds qui restent

Les conflits en sociétés, qu'ils se jouent sur le plan intellectuel ou physique, apparaissent autour d'enjeux où les groupes sentent qu'ils peuvent réaliser des pertes ou des gains. À la suite de l'analyse des valeurs clés des différentes familles de pensée reconstruites dans ce livre, on peut constater que le conflit a entouré trois points de litige irréconciliables pour les nébuleuses intellectuelles identifiées dans les chapitres précédents. La cartographie de la présente controverse laisse pendre trois nœuds qui obligent à descendre au niveau épistémologique pour en achever le démêlage. Ces nœuds comportent des foyers de confusion qui représentent trois occurrences lexicales qui ont été mobilisées par tous les groupes de pensée pour se décrire lors des débats. Les républicains civiques, les républicains conservateurs et les penseurs libéraux se sont en effet présentés simultanément comme les authentiques défenseurs de **la démocratie**, de **l'intégration** et de **la continuité**.

PREMIER NŒUD : LA DÉMOCRATIE

Les trois familles de pensée ont en effet présenté leurs idées comme les moyens qui respectent les réelles ambitions de la démocratie. À l'inverse, elles ne se sont pas privées de remettre en question celles des groupes concurrents en qualifiant les points de vue adverses comme étant des pistes qui s'en éloignent. On peut expliquer ce phénomène en faisant référence au caractère multidimensionnel des démocraties. Ces régimes ne sont pas des structures politiques qui apparaissent spontanément du néant et ne se résument jamais dans un seul principe. Ils résultent d'une accumulation historique au sein de laquelle se sont empilés de nombreux étages au fil des époques politiques.

Le premier étage remonte initialement au régime politique athénien de l'ère socratique[1]. Dépourvus de souverain qui aurait été propriétaire du pouvoir, les citoyens athéniens assemblés décidaient des lois qui s'appliquaient à l'ensemble de la cité. Ces délibérations collectives représentent une première dimension des démocraties, qui renvoie aux débats, à des arènes oratoires et des règles parlementaires. Elle réunit ainsi des principes de nature participative, représentative, électorale et repose sur la volonté majoritaire. On comprend donc que c'est à partir de cette dimension que les **républicains conservateurs** fondent leur identité de groupe, qu'ils présentent comme authentiquement démocratique. En centralisant l'importance de la volonté majoritaire pour servir la culture nationale qui s'y rattache, cette famille de pensée tient à garantir que les enjeux des politiques identitaires resteront des sujets politiques et qu'ils ne deviendront pas des sujets juridico-techniques faits de règles diverses qui se retrouveront hors de la portée de la volonté populaire.

Une autre dimension importante des régimes démocratiques se situe dans la division des pouvoirs. Montesquieu a résumé cette répartition de l'autorité politique par la coexistence de trois entités : législative, exécutive et judiciaire[2]. Ce découpage se présente comme la structure nécessaire pour rendre impossible le contrôle total du pouvoir politique par une seule personne ou un seul groupe. En insistant autant sur l'importance de la séparation entre la religion et le pouvoir, les **républicains civiques** prolongent l'idée de cette configuration institutionnelle. Les médias ou l'argent sont souvent présentés comme le quatrième pouvoir. Les républicains civiques

---

1. Dupuis-Déri, Francis (2013). *Démocratie, histoire politique d'un mot : aux États-Unis et en France.* Montréal : Lux Éditeur, p. 58.

2. *De l'esprit des lois,* 1748.

reprennent cette conception et voient la religion comme un pouvoir parallèle aux institutions politiques qui pourrait être assez fort pour parasiter ou rendre inopérante leur nécessaire séparation. Voilà pourquoi ils sentent le besoin de réaffirmer dans une charte une laïcité uniforme. Voilà aussi pourquoi ce groupe tient à élever les valeurs civiques universelles au niveau des valeurs essentielles et nécessaires à l'inclusion de tous les citoyens dans la communauté politique, indépendamment de leur identité particulière.

Les **penseurs libéraux**, quant à eux, se réfèrent plutôt à une autre dimension importante des structures démocratiques : les droits individuels. C'est entre autres pourquoi ils mettent autant l'accent sur l'égalité et les libertés. Pour cette famille de pensée, la démocratie repose principalement sur les appareils qui sont chargés de garantir ces deux valeurs fondamentales (chartes, Cours, lois) ; d'où leur crainte *tocquevillienne*[3] des excès potentiels de la volonté majoritaire. Pour les penseurs libéraux, il est impossible de respecter le réel esprit de la démocratie sans se préoccuper d'abord du sort des individus eux-mêmes et donc des membres des minorités, qui ne contrôlent pas, par insuffisance numérique, les leviers décisionnels de la collectivité. Il est ainsi facile de comprendre l'adhésion de ce groupe aux formules basées sur la discrimination positive, dont l'accommodement raisonnable est une déclinaison, car l'égalité n'est pas que théorique : elle doit être empirique, c'est-à-dire que les citoyens doivent disposer de moyens à leur mesure pour jouir de leur liberté. Pour cette famille de pensée, il faut adapter les lois, règlements et conventions pour mieux permettre à ce régime politique de respecter ses finalités : l'égalité et les libertés individuelles.

C'est ainsi que se décortique ce premier nœud. Cette façon qu'ont les familles de pensée de se présenter comme les « vraies » gardiennes de la démocratie se comprend en montrant que chacune d'elles projette une image de la démocratie qui est investie de leur sensibilité profonde : majorité pour les républicains conservateurs,

---

3. « […] le pouvoir de tout faire, que je refuse à un seul de mes semblables, je ne l'accorderai jamais à plusieurs. », dans de Tocqueville, Alexis. *De la démocratie en Amérique*, préface de François Fleuret, vol. I, Paris : Flammarion. Coll. « GF », 1981, p. 349.

séparation pour les républicains civiques et droits individuels pour les penseurs libéraux. Ces diverses bases ontologiques sur lesquelles reposent ces trois familles de pensée suffisent déjà, en bonne partie, pour comprendre les origines de la controverse de la laïcité au Québec

DEUXIÈME NŒUD : L'INTÉGRATION

La sociologie du conflit de valeurs à laquelle ce livre s'est consacré atterrit sur un deuxième nœud, qui renvoie à la formule d'intégration que devrait adopter la société québécoise. Chacune des nébuleuses intellectuelles s'est présentée comme la championne en la matière tout en contestant la légitimité de ce titre chez les autres groupes. Les diverses conceptions de la laïcité recensées dans les chapitres précédents permettent de bien faire ressortir les conflits normatifs qui sous-tendent ces divisions.

Pour les **penseurs libéraux**, l'unité de la communauté politique ne peut se faire au coût de l'exclusion. En toute compatibilité avec la philosophie de la reconnaissance et la morale communicationnelle[4], les normes du vivre ensemble doivent être à l'écoute des critiques et des revendications des diverses composantes de la société. En ce sens, le modèle d'intégration du Québec doit être orienté par un dialogue intercommunautaire sans cesse renouvelé. Ceci doit être respecté, selon les penseurs libéraux, pour éviter les comportements d'autoexclusion qui peuvent découler des normes de vie (comme l'interdiction du voile dans la fonction publique) qui ne sont pas compatibles avec l'identité des portions minoritaires de la communauté politique. La laïcité ouverte se présente donc, aux yeux de cette famille de pensée, comme l'unique voie acceptable. D'abord pour consacrer à nouveau la légitimité de l'accommodement raisonnable fondé sur des revendications religieuses, mais aussi pour faire la boucle avec leur conception de la démocratie considérée principalement comme un régime à la défense des droits individuels. Pour les penseurs libéraux, les individus ne doivent pas avoir à refouler une partie d'eux-mêmes pour accéder aux institutions ou aux espaces

---

4. Habermas, Jürgen (1999). *Morale et communication*.

collectifs, ou, en d'autres mots, le partage par tous de l'ouverture à la diversité, surtout par la majorité francophone, constitue la règle pour le succès de l'intégration. Pour cette famille de pensée, les identités religieuses et culturelles sont loin d'être des obstacles en matière d'intégration et ne pas les reconnaître ne fait que nous éloigner de cette fin.

Au sujet de l'intégration, un point réunit les républicains conservateurs et les républicains civiques : la contrainte est nécessaire pour faire société. Trop de flexibilité dans les normes rend impossible la réunion, car, pour relever ce défi, il faut miser sur du commun. Or, les deux familles républicaines ne s'entendent pas sur le commun qui doit être posé comme condition *sine qua non* à l'intégration dans la république.

Les **républicains conservateurs** soutiennent que l'intégration doit se faire par l'adhésion de tous les membres de la communauté politique à une culture majoritaire qui a fondé historiquement le cœur de l'identité de la nation depuis plusieurs siècles. Cette adhésion passe, à terme, par la pénétration de la culture nationale – édifiée dans la durée – dans les habitudes culturelles des citoyens de la communauté politique. Pour les républicains conservateurs, ceci s'opère par le rattachement nécessaire de tous les particularismes à l'identité collective québécoise, qui ne peut se résumer autrement que par l'expérience historique qui a animé la vie de cette communauté singulière en Amérique du Nord. Il devient ainsi facile de comprendre l'insistance des républicains conservateurs pour la légitimation d'un « nous » québécois, car ce groupe cherche à proposer une solution aux insuffisances qu'il détecte dans le nationalisme strictement civique des autres familles de pensée. En somme, pour les républicains conservateurs, le Québec doit aussi être vu comme un être collectif, fait de valeurs, de sensibilité, de traditions politiques et culturelles, qui a la légitimité de se poser comme norme intégratrice. De cette façon, il faut accepter de permettre aux institutions de dépasser le simple respect des droits individuels et de transmettre un héritage pour rendre possible le partage de *raisons communes*[5] qui permettent à toute une collectivité de se réunir autour d'une même conception du bien commun. Ceci a l'avantage crucial, aux yeux de cette famille de pensée, d'éviter les clivages interculturels, de pouvoir mobiliser l'ensemble de la communauté politique dans un même sens et d'éviter la paralysie des institutions politiques lorsqu'elles deviennent inopérantes en cas de crises. Cette volonté de dépasser le simple respect des chartes, sans les nier, vise à garantir le prolongement de la substance d'une identité en mettant certaines politiques identitaires au service de la continuité et du lien entre le «nous» d'aujourd'hui et le «nous» des générations précédentes. Ceci ne peut se faire qu'en reconnaissant l'importance patrimoniale des différents héritages de la culture québécoise, qu'ils soient religieux, politiques ou culturels.

En matière d'intégration, les **républicains civiques** s'opposent aux penseurs libéraux, qui conçoivent l'ouverture à la diversité comme l'attache centrale à partir de laquelle il faut réunir toutes les composantes de la société. Pour les penseurs civiques, ce sont plutôt des valeurs politiques qu'il faut mettre de l'avant. Ainsi, contrairement à ce que souhaitent les républicains conservateurs, ce n'est pas autour d'un héritage en bonne partie composé de la trame canadienne-française qu'il faut réunir la communauté politique. L'État ne saurait se mettre au service du prolongement d'une particularité historique, même celle de la majorité francophone, car une république ne peut être au service d'une culture au détriment des autres. Ce sont des principes abstraits inspirés de l'idée d'un contrat social, d'une religion civile et même d'un patriotisme constitutionnaliste qui fondent les bases de cette famille de pensée. En ce sens, les deux modèles de laïcité concurrents sont rejetés par cette famille de pensée, qui voit de mauvaises pistes autant dans l'ouverture à la religion de la laïcité ouverte qu'avec la laïcité *réaliste* (ou patrimoniale) qui vise à garantir une présence au patrimoine chrétien qui s'est enraciné dans les valeurs de la majorité des Québécois et dans la symbolique institutionnelle. Les républicains civiques conçoivent le lien social comme une distance

---

5. Dumont, Fernand (1997). *Raisons communes*. Montréal : Boréal, 260 pages.

à l'égard des identités particulières, en particulier des religions, car seules des caractéristiques communes et universelles peuvent servir de ciment à une communauté politique ; les particularités majoritaires et minoritaires ne peuvent se situer qu'en périphérie de l'identité de la nation.

TROISIÈME NŒUD : LA CONTINUITÉ

En plus des nœuds relatifs à l'intégration et à la démocratie, un autre terme a réussi à confondre les observateurs de la controverse qui a entouré le thème de la laïcité au Québec entre 2006 et 2014. Chacune des familles de pensée a cherché, en effet, à faire valoir que ses idées participaient au prolongement de la continuité de l'expérience historique québécoise. Toutes ont insisté pour faire comprendre que leurs idées et valeurs se rattachaient à des traditions de pensée qui remontent loin dans le temps et qui ont teinté la personnalité de la communauté politique québécoise au fil de son évolution.

En se référant aux combats laïques et parfois anticléricaux d'une partie des patriotes du milieu du XIXᵉ siècle, aux penseurs inspirés des Lumières comme Fleury Mesplet (1734-1794), à l'Institut canadien, au Mouvement laïque de langue française des années 1960 et à *Parti pris*, les **républicains civiques** ont voulu souligner l'existence notable d'une position de ferme résistance aux liens entre l'Église et l'État. On voit ainsi que cette famille de pensée s'inspire d'un patriotisme laïque, qui se présente comme une posture de résistance au pouvoir politique de la religion, surtout en ce qui a trait à son influence dans les institutions et dans la sphère publique. Différente de la posture de tolérance des penseurs libéraux, les républicains civiques définissent la laïcité avant tout par la séparation entre la religion et l'État et la conçoivent ainsi comme un moyen d'endiguement au service de valeurs civiques universelles et donc areligieuses, car, à leurs yeux, les religions (majoritaire et minoritaires) divisent plus qu'elles unissent. Suivant cette ligne, leur vision de la continuité se cadre sur les volontés antérieures qui ont cherché à fortifier les valeurs de la modernité comme l'égalité des sexes, la liberté de conscience et même de la sécularité. Ayant pris de la vigueur surtout depuis la Révolution tranquille, les républicains civiques considèrent que c'est à partir de cette vision contractualiste du lien social qu'il faut juguler les enjeux du présent en matière de religion et de diversité : unir grâce aux valeurs universelles de la modernité et miser sur le commun, pas sur ce qui est particulier à la majorité ni sur la sacralisation des différences. Les républicains civiques désirent, en conséquence, faire valoir et diffuser l'existence d'une tradition de patriotisme qui retrace les divers combats politiques pour la laïcité. C'est la continuité à laquelle ils adhèrent et celle qu'ils souhaitent que les Québécois s'approprient.

Les **penseurs libéraux**, en interprétant l'histoire de la laïcité comme étant celle du développement de la culture des droits, se rattachent à une tradition de pensée qui fait référence à une autre branche du courant libéral du milieu du XIXe siècle, mais dans une déclinaison qui n'est pas anticléricale. Pour les penseurs libéraux, la démocratie trouve son achèvement dans la défense des individus et des minorités. La marche du Québec et du Canada qui a mené à l'édification des chartes de droits est considérée par ce groupe comme la consécration des valeurs qui fondent l'identité de cette communauté politique. La volonté de réécrire l'histoire nationale en fonction des enjeux de la diversité de la communauté politique, comme le souhaite le rapport final de la commission Bouchard-Taylor, et plus précisément Gérard Bouchard, vise à souligner la diversité ethnoculturelle qui existe au Québec depuis les 400 dernières années. Pour cette famille de pensée, même si la diversité du Québec s'est accrue surtout après la Deuxième Guerre mondiale, elle n'était pas inexistante avant cette période. Depuis deux siècles ou plus, il existait en effet des composantes irlandaises, écossaises, angloprotestantes, amérindiennes et juives parmi les gens qui ont bâti le paysage québécois. En ce sens, l'interculturalisme que défendent les penseurs libéraux cherche à consacrer cette réalité diversifiée qui a caractérisé la composition de la communauté politique au Québec depuis quelques siècles.

La continuité des **républicains conservateurs** met l'accent principalement sur le prolongement de quatre siècles d'aventure francophone en Amérique du Nord pour laquelle le Québec a toujours servi de foyer historique. Cette continuité parle le langage de l'enracinement, qui se présente comme l'entremêlement entre une population, un territoire et le temps. La continuité de cette famille de pensée est celle qui veut le moins abandonner des portions du passé au nom des défis d'aujourd'hui, car, pour ces penseurs, une communauté de sens est avant tout héritière d'une histoire et de tout ce qui la compose. En ce sens, craignant le péril d'une fragmentation de la communauté politique en diverses factions, les républicains conservateurs n'embarquent pas dans tout programme qui chercherait, à leurs yeux, à opérer une refondation du peuple québécois sur de nouvelles bases. Fondamentalement, cette famille de pensée rejette les grandes orientations du rapport Bouchard-Taylor parce qu'il n'accorde pas assez d'importance à ce qui a précédé la Révolution tranquille. La prépondérance des chartes de droits individuels et le néonationalisme qui caractérisent le document en question ne font qu'officialiser, aux yeux des républicains conservateurs, le rejet déjà présent de nos jours de l'héritage pré-1960. En somme, ce groupe de penseurs juge que les conclusions des commissaires à la suite de cette consultation populaire auraient dû viser la réconciliation avec une époque où la communauté politique était unifiée par autre chose que la promotion de la diversité ou le respect des droits et libertés. En d'autres mots, le rapport aurait dû faire comprendre que la culture d'un peuple ne peut persister dans le temps que si l'on accepte que soit entendu le sens politique partagé par sa communauté fondatrice, c'est-à-dire, pour les républicains conservateurs, respecter la volonté politique de la majorité francophone.

Cette concurrence des mémoires qui anime les trois nébuleuses intellectuelles n'a rien d'étonnant, car aucune idéologie ne peut revendiquer un monopole sur l'histoire parce que plusieurs traditions de pensée se chevauchent au fil du temps. Cela fait en sorte que plusieurs récits peuvent coexister en parallèle à une même époque. La mémoire est souvent un champ de bataille qui devient l'extension des luttes politiques du présent. Le débat sur la Révolution française en est un bon exemple. Des auteurs français contemporains continuent de s'y référer de manière critique, d'autres, de manière élogieuse. Il en va de même des États-Unis, où il existe, depuis la naissance de ce pays, deux tendances contradictoires entre les partisans d'un pouvoir central fort et ceux d'un modèle confédéral qui souhaiteraient que le gouvernement fédéral ne soit qu'un lieu de représentation des intérêts des divers États assemblés dans l'Union. Le Québec est aussi animé de ses multiples héritages : libéral-progressiste, républicain-civique et nationaliste-culturel. Ces forces peuvent s'affaiblir avec le temps, comme ce fut le cas du conservatisme québécois à partir des années 1970-80. Or, certaines traditions de pensée qu'on croirait éteintes peuvent aussi redevenir des forces sociales avec d'efficaces véhicules politiques après des décennies ou des générations d'hibernation. Cette concurrence des récits n'est que le visage d'une société où coexistent divers modes de pensée qui sont mobilisés par des groupes pour lire et orienter le parcours de leur société.

· · ·

C'est ainsi que se présente l'état du clivage idéologique qui a donné vie à la controverse entourant la laïcité au Québec entre 2006 et 2014. L'étude du conflit de valeurs aura permis de montrer qu'il persiste trois familles de pensée clairement distinctes en matière d'identité nationale, de laïcité, de modèle d'intégration et d'ouverture à la diversité.

À leur façon, à travers l'enjeu de la laïcité, chacune des nébuleuses intellectuelles a répondu aux questions les plus anciennes de la philosophie politique : *à qui revient la légitimité de décider en politique* et *au nom de quoi ?* Les réponses contenues dans les centaines d'interventions compilées dans ce livre ont permis d'identifier le cœur des univers de valeurs qui se sont opposés lors de la controverse sur la laïcité.

Pour les républicains civiques, c'est à la voix citoyenne que revient la légitimité de définir un cadre réglementaire pour le vivre ensemble. Ce cadre doit être interprété comme l'aboutissement de l'application de valeurs politiques universelles comme la séparation des pouvoirs et l'égalité des sexes. Cette famille de pensée accorde, en ce sens, le primat à des principes civiques et refuse que la reconnaissance des identités particulières (majoritaire ou minoritaires) serve de compas pour construire les règles de la vie dans la cité.

Pour les républicains conservateurs, ce qui permet de trancher ces questions d'ordre des enjeux collectifs relève de la volonté de la majorité qui s'exprime à travers ses institutions politiques, mais les décisions qui en découlent doivent se prendre au nom de la nation québécoise dans ce qu'elle a de particulier : sa mémoire, son patrimoine et son histoire propre ; bref, son héritage. Cela afin de garantir le respect de la volonté politique de la seule majorité francophone en Amérique du Nord.

Tandis que pour la dernière famille intellectuelle, c'est le droit et les institutions juridiques qui doivent avoir préséance dans l'encadrement du vivre ensemble, et cela doit être fait au nom de la diversité. Pour les penseurs libéraux, l'égalité entre citoyens n'est atteignable que si l'on accepte de faire de la diversité une fin et un moyen à la fois, car l'égalité ne s'obtient que par la reconnaissance des différences.

Voilà où en était l'état des clivages intellectuels tels qu'ils se sont développés pendant les huit années de controverses et voilà aussi qui permet de constater que la collision des plaques tectoniques qui s'opère depuis toujours sous les fondations de l'identité québécoise n'est toujours pas révolue.

ÉPILOGUE
Comment meurt une famille de pensée ?

Toutes les familles de pensée naissent d'un contexte qui les dépasse. Elles trouvent leurs racines dans les remous de l'histoire. Certaines apparaissent par contagion internationale. Quelques-unes surgissent en avalanche et recouvrent tout sur leur passage. D'autres, comme cela a été le cas des mouvements de décolonisation des années 1960, ressemblent à des larves qui dorment pendant des décennies, voire des siècles jusqu'à ce qu'elles soient éveillées par des conditions suffisantes pour qu'une mutation se crée.

Comme pour leur genèse, la disparition des familles de pensée suit également une diversité de parcours biographiques, car leur notice nécrologique relève aussi d'un contexte qui les dépasse. Le cimetière des idéologies politiques québécoises compte de nombreuses tombes. Celle de l'annexion du Québec aux États-Unis (1778-1867), celle du socialisme révolutionnaire (1963-1982), celle de la réunion, dans une république, des catholiques de langue française du nord-est de l'Amérique (1885-1905), et tant d'autres.

Une chose est bien certaine, même à la suite des plus grandioses joutes verbales, aucune d'entre elles ne meurt tuée par la verve implacable de leurs détracteurs. Imperméables les unes aux autres et amoureuses de leurs propres mots, les idéologies politiques évoluent dans des rapports oppositionnels voulus et souhaités. C'est plutôt d'essoufflement qu'il faut parler, car une famille de pensée s'éteint par la disparition de ceux qui en portent les valeurs. En matière de laïcité au Québec, quelle famille de pensée se verra confier le luxe de décider des interdits et des permissions? La clé de cette énigme ne se trouvera dans aucun livre de science politique, mais dans les courbes démographiques qui projettent l'évolution en nombre de ceux qui défendent une formule de laïcité plutôt qu'une autre. De quel côté se trouvent les jeunes et tous ceux à qui appartient l'avenir? La réponse à cette question montre que la force du temps surpasse le pouvoir de bien des dictatures pour transformer la pensée. Le rythme de l'histoire souligne, enfin, que la mort d'une famille ressemble toujours à une déshydratation fatale marquée par l'absence d'héritiers. Disqualifiées par les générations qui suivent, de grandes idées se trouvent exilées de la tête du peuple qu'elles souhaitaient défendre. Ainsi rejetées, dépourvues de leur énergie vitale, elles quittent le présent, se fossilisent entre les pages des livres et rejoignent les archives de l'histoire de la pensée.

En attendant que cela arrive, il est assuré que la laïcité continuera d'ajouter de nombreuses pages dans la saga de nos disputes identitaires.

REMERCIEMENTS

L'achèvement de ce livre n'aurait pas été possible sans le regard de Micheline Milot dont l'attention particulière portée à chacune des pages a enrichi le contenu de ce livre sous toutes ses coutures. Je salue sincèrement Jacques Beauchemin qui a accueilli ce projet de recherche sans chercher à en limiter les ambitions chargées en exigences analytiques. Ces deux professeurs, que tant sépare, m'auront donné confiance en restant neutres à l'égard d'un livre qui faisait l'analyse de leur pensée dans un contexte de controverse.

Surtout, j'offre ma gratitude à Alain-G. Gagnon pour son accueil enthousiaste de ce livre dans la collection «Débats», dont le mandat épouse parfaitement la volonté de comprendre les controverses contemporaines. Je suis aussi reconnaissant à l'égard de Stéphane Courtois qui, dans un article qu'il imaginait sans conséquence, a offert une orientation formidable à ce livre en formulant les meilleures catégories pour analyser les familles de pensée rivales en matière de laïcité au Québec. Décrire des familles de pensée adverses sans les caricaturer demeure, curieusement de nos jours, un trait rare qui mérite d'être souligné.

Je remercie aussi les centaines d'auteurs qui se sont déplacés à ma table d'entrevue lors de mes années passées à la radio ainsi qu'à la télévision du Canal Savoir. Ces entretiens m'ont offert des moments privilégiés qui m'ont permis de lire et de discuter de très nombreux livres, dont plusieurs m'auront ailé lors de la rédaction.

J'offre toute mon estime à André Lamy et Claire-Marie Noël qui ont eu la patience d'élever un enfant qui n'aimait jamais lire et qui lit maintenant tout le temps. Je remercie aussi Chantal Roby, qui sous-estime toujours son effet sur moi, pour m'avoir rappelé que le jargon universitaire guette même celui qui le dénonce tous les jours.

En terminant, j'offrirai un jour un monument à ceux qui lisent afin de ne pas confirmer ce qu'ils pensent déjà. À travers vos yeux, l'humanité vous doit la lumière qui nous évite les ténèbres.

BIBLIOGRAPHIE

Livres

Adelman, Howard et Pierre Anctil (dir.) (2011). *Religion, culture, and the state: reflections on the Bouchard-Taylor Report*. Toronto: University of Toronto Press, 151 pages.

Angenot, Marc (2008). *Dialogues de sourds: traité de rhétorique antilogique*. Paris: Mille et une nuits, 450 pages.

Baillargeon, Normand et Jean-Marc Piotte (dir.) (2011). *Le Québec en quête de laïcité*. Montréal: Écosociété, 164 pages.

Baril, Daniel et Yvan Lamonde (dir.) (2013). *Pour une reconnaissance de la laïcité au Québec*. Québec: Presses de l'Université Laval, 174 pages.

Baubérot, Jean (2008). *Laïcité interculturelle: le Québec, avenir de la France?* Paris: Éditions de l'Aube, 283 pages.

Beauchamp, Caroline (2011). *Pour un Québec laïque*. Québec: Presses de l'Université Laval, 149 pages.

Beauchemin, Jacques (2007). *La société des identités: éthique et politique dans le monde contemporain*. Outremont: Athéna, 224 pages.

Benhabib, Djemila (2009). *Ma vie à contre-coran: une femme témoigne sur les islamistes*. Montréal: VLB, 272 pages.

Benhabib, Djemila (2011). *Les soldats d'Allah à l'assaut de l'Occident*. Montréal: VLB, 294 pages.

Bérard, Frédéric (2014). *La fin de l'État de droit?* Montréal: Éditions XYZ, 128 pages.

Bienvenue, Louise (2003). *Quand la jeunesse entre en scène: l'action catholique avant la Révolution tranquille.* Montréal: Boréal, 291 pages.

Bock-Côté, Mathieu (2007). *La Dénationalisation tranquille: mémoire, identité et multiculturalisme dans le Québec postréférendaire.* Montréal: Boréal, 211 pages.

Bock-Côté, Mathieu (2011). *Fin de cycle: aux origines du malaise politique québécois.* Montréal: Boréal, 174 pages.

Boily, Frédéric (2003). *La pensée nationaliste de Lionel Groulx.* Sillery: Septentrion, 229 pages.

Borduas, Paul-Émile (1948). *Refus global.* Montréal: Mithra-Mythe Éditeur, 40 pages.

Bouchard, Gérard (1999). *La nation québécoise au passé et au futur.* Montréal: VLB, 157 pages.

Bouchard, Gérard (2012). *L'interculturalisme: un point de vue québécois.* Montréal: Boréal, 286 pages.

Canet, Raphaël (2003). *Nationalismes et société au Québec.* Outremont: Athéna, 2003, 232 pages.

Collin, Jean-Pierre (1996). *La Ligue ouvrière catholique canadienne, 1938-1954.* Montréal: Boréal, 253 pages.

Constant, Benjamin (1997). *Écrits politiques.* Paris: Gallimard, 870 pages.

Doyon, Nova, Jacques Cotnam et Pierre Hébert (2010). *La Gazette littéraire de Montréal 1778-1779.* Québec: Presses de l'Université Laval, 982 pages.

Dumont, Fernand (1968). *Le lieu de l'homme: la culture comme distance et mémoire.* Montréal: Éditions HMH, 233 pages.

Dumont, Fernand (1993). *Genèse de la société québécoise.* Montréal: Boréal, 393 pages.

Dumont, Fernand (1995). *L'Avenir de la mémoire.* Québec: Nuit blanche, 95 pages.

Dumont, Fernand (1997). *Raisons communes.* Montréal: Boréal, 260 pages.

Dupuis-Déri, Francis (2013). *Démocratie, histoire politique d'un mot : aux États-Unis et en France*. Montréal : Lux Éditeur, 446 pages.

Durand, Guy (2011). *La culture religieuse n'est pas la foi : identité du Québec et laïcité*. Montréal : Éditions des Oliviers, 148 pages.

Durkheim, Émile (1996). *De la division du travail social*. Paris : Presses universitaires de France, 416 pages.

Eid, Paul, Pierre Bosset, Micheline Milot et Sébastien Lebel-Grenier (dir.) (2009). *Appartenances religieuses, appartenance citoyenne : un équilibre en tension*. Québec : Presses de l'Université Laval, 425 pages.

Facal, Joseph (2010). *Quelque chose comme un grand peuple*. Montréal : Boréal, 320 pages.

Fall, Khadiyatoulah et Georges Vignaux (2008). *Images de l'autre et de soi : les accommodements raisonnables : entre préjugés et réalité*. Québec : Presses de l'Université Laval, 84 pages.

Freund, Julien (1983). *Sociologie du conflit*. Paris : Presses universitaires de France, 380 pages.

Gagnon, Alain-G. (dir.) (2014). *La politique québécoise et canadienne : une approche pluraliste*. Québec : Presses de l'Université du Québec, 726 pages.

Gagnon, Alain-G. et Raffaele Iaconivo (2007). *De la nation à la multination : les rapports Québec-Canada*. Montréal : Boréal, 264 pages.

Gagnon, Bernard (dir.) (2010). *La Diversité québécoise en débat : Bouchard, Taylor et les autres*. Montréal : Québec Amérique. Coll. « Débats », 269 pages.

Gagnon, Nicole et Jean Hamelin (1985). *Histoire du catholicisme québécois : le XXe siècle : 1898-1940*. Volume III, tome I. Montréal : Boréal Express, 508 pages.

Gauvreau, Michael (2008). *The Catholic Origins of Quebec's Quiet Revolution, 1931-1970*. Montréal et Kingston : McGill-Queen's University Press, 501 pages.

Geadah, Yolande (2007). *Accommodements raisonnables : droit à la différence et non différence des droits*. Montréal : VLB, 95 pages.

Gingras, Yves (2013). *Sociologie des sciences*. Paris : Presses universitaires de France. Coll. « Que sais- je ? », 127 pages.

Grand'Maison, Jacques (2007). *Pour un nouvel humanisme*. Montréal : Fides, 204 pages.

Graveline, Pierre (2003). *Une histoire de l'éducation et du syndicalisme enseignant au Québec*. Montréal : Typo, 195 pages.

Groulx, Lionel (1924). *Notre maître, le passé*. Montréal : L'Action française, 269 pages.

Guilbault, Diane (2008). *Démocratie et égalité des sexes*. Montréal : Sisyphe, 138 pages.

Guillebaud, Jean-Claude (2007). *Comment je suis redevenu chrétien*. Paris : Albin Michel, 182 pages.

Habermas, Jürgen (1987). *Théorie de l'agir communicationnel* (2 tomes). Paris : Fayard.

Habermas, Jürgen (1999). *Morale et communication*. Paris : Flammarion. Coll. « Champs », 212 pages.

Haince, Marie-Claude, Yara El-Ghadban et Leïla Benhadjoudja (dir.) (2014). *Le Québec, la Charte, l'Autre, et après ?* Montréal : Mémoire d'encrier, 125 pages.

Haroun, Sam (2008). *L'État n'est pas soluble dans l'eau bénite : essai sur la laïcité au Québec*. Sillery : Septentrion, 168 pages.

Honneth, Axel (2000). *La lutte pour la reconnaissance*. Paris : Éditions du Cerf, 232 pages.

Joncas, Pierre (2009). *Les accommodements raisonnables : entre Hérouxville et Outremont : la liberté de religion dans un État de droit*. Québec : Presses de l'Université Laval, 116 pages.

Kuhn, Thomas (1983). *La structure des révolutions scientifiques*. Paris : Flammarion. Coll. « Champs », 228 pages.

Kymlicka, Will (2001). *La Citoyenneté multiculturelle : une théorie libérale du droit des minorités*. Montréal : Boréal, 360 pages.

Kymlicka, Will (2003). *La voie canadienne : repenser le multiculturalisme*. Montréal : Boréal, 342 pages.

Lamonde, Yvan (2010). *L'Heure de vérité : la laïcité québécoise à l'épreuve de l'histoire*. Montréal : Del Busso, 221 pages.

Lamonde, Yvan (2011). *La modernité au Québec : la crise de l'homme et de l'esprit*. Volume I. Montréal : Fides, 336 pages.

Lamonde, Yvan et Esther Trépanier (2007). *L'avènement de la modernité culturelle au Québec*. Québec : Éditions de l'IQRC, 313 pages.

Landfried, Julien (2007). *Contre le communautarisme*. Paris : Armand Colin, 187 pages.

Leman, Marc (1997). *Le multiculturalisme canadien*. Ottawa : Bibliothèque du Parlement, Service de recherche, 1997, 22 pages.

Leroux, Georges (2007). *Éthique, culture religieuse, dialogue : arguments pour un programme*. Montréal : Fides, 117 pages.

Lévesque, Andrée (2010). *Éva Circé-Côté, libre-penseuse, 1871-1949*. Montréal : Éditions du Remue-Ménage, 478 pages.

Lisée, Jean-François (2007). *Nous*. Montréal : Boréal, 106 pages.

Livernois, Jonathan et Yvon Rivard (dir.) (2014). *L'urgence de penser : 27 questions à la Charte*. Montréal : Leméac Éditeur, 176 pages.

Maillé, Chantal, Greg M. Nielsen et Daniel Salée (dir.) (2013). *Revealing Democracy : Secularism and Religion in Liberal Democratic States*. Bruxelles : P.I.E. – Peter Lang, 178 pages.

Mailloux, Louise (2011). *La laïcité, ça s'impose !* Montréal : Éditions du Renouveau québécois, 166 pages.

Marx, Karl (1998). *Critique de la philosophie du droit de Hegel*. Paris : Éditions Allia, 46 pages.

Marx, Karl et Friedrich Engels (1973). *Manifeste du parti communiste*. Paris : Éditions sociales, 95 pages.

Massicotte, Louis (2009). *Le Parlement du Québec de 1867 à aujourd'hui*. Québec : Presses de l'Université Laval, 298 pages.

McAndrew, Marie, Micheline Milot, Jean-Sébastien Imbeault et Paul Eid (dir.) (2008). *L'accommodement raisonnable et la diversité religieuse à l'école publique : normes et pratiques*. Montréal : Fides, 295 pages.

Meunier, E.-Martin et Jean-Philippe Warren (2002). *Sortir de la grande noirceur : l'horizon personnaliste de la Révolution tranquille*. Sillery : Septentrion, 207 pages.

Miclo, François et Robert Grossmann (2002). *La République minoritaire : contre le communautarisme*. Paris : Michalon, 186 pages.

Milot, Micheline (2002). *Laïcité dans le Nouveau Monde*. Turnhout (Belgique) : Brepols, 181 pages.

Milot, Micheline (2008). *La laïcité*. Ottawa : Novalis. Coll. « 25 questions », 128 pages.

Milot, Micheline et Jean Baubérot (2011). *Laïcités sans frontières*. Paris : Seuil, 338 pages.

Noël, Alain et Jean-Philippe Thérien (2010). *La gauche et la droite : un débat sans frontières*. Montréal : Presses de l'Université de Montréal, 335 pages.

Parenteau, Danic (2014). *Précis républicain à l'usage des Québécois*. Montréal : Fides, 152 pages.

Parenteau, Danic et Ian Parenteau (2008). *Les idéologies politiques : le clivage gauche-droite*. Québec : Presses de l'Université du Québec, 194 pages.

Peña-Ruiz, Henri (2003). *Qu'est-ce que la laïcité ?* Paris : Gallimard, 329 pages.

Peña-Ruiz, Henri (2005). *Histoire de la laïcité : genèse d'un idéal*. Paris : Gallimard, 143 pages.

Piché, Lucie (2003). *Femmes et changement social au Québec : l'apport de la Jeunesse ouvrière catholique (1931-1966)*. Québec : Presses de l'Université Laval, 349 pages.

Piotte, Jean-Marc (2007). *Les Neuf clés de la modernité*. Montréal : Québec Amérique, 236 pages.

Potvin, Maryse (2008). *Crise des accommodements raisonnables : une fiction médiatique ?* Outremont : Athéna, 277 pages.

Renan, Ernest (1997). *Qu'est-ce qu'une nation ?* Paris : Mille et une nuits, 47 pages.

Robin, Régine (2011). *Nous autres, les autres : difficile pluralisme*. Montréal : Boréal, 346 pages.

Rocher, François, Micheline Labelle, Ann-Marie Field et Jean-Claude Icart (2008). *Le concept d'interculturalisme en contexte québécois : généalogie d'un néologisme*. Rapport présenté à la Commission de consultation sur les pratiques d'accommodement reliées aux différences culturelles. Montréal, décembre, 63 pages.

Roy, Martin (2012). *Une réforme dans la fidélité. La revue Maintenant (1962-1974) et la « mise à jour » du catholicisme québécois*. Québec : Presses de l'Université Laval, 334 pages.

Seymour, Michel (2007). *De la tolérance à la reconnaissance : une théorie libérale des droits collectifs.* Montréal : Boréal, 708 pages.

Sfeir, Antoine et René Andrau (2005). *Liberté, égalité, islam : la République face au communautarisme.* Paris : Tallandier, 264 pages.

Simmel, Georg (2003). *Le conflit.* Belval (France) : Circé, 158 pages.

Steiner, Philippe (2000). *La sociologie de Durkheim.* Paris : La Découverte. Coll. « Repères », 123 pages.

Taylor, Charles (1994). *Multiculturalisme : Différence et démocratie.* Paris : Aubier, 144 pages.

Taylor, Charles (1998). *Les sources du Moi.* Montréal : Boréal, 714 pages.

Taylor, Charles (2011). *Un âge séculier.* Montréal : Boréal, 1344 pages.

Taylor, Charles et Jocelyn Maclure (2010). *Laïcité et liberté de conscience.* Montréal : Boréal, 164 pages.

Thompson, Bernard (2007). *Le syndrome Hérouxville ou les accommodements raisonnables.* Boisbriand : Éditions Momentum, 118 pages.

Tönnnies, Ferdinand (1944). *Communauté et société : catégories fondamentales de la sociologie pure.* Paris : Presses universitaires de France, traduction de J. Leif, 248 pages.

Touraine, Alain (1973). *Production de la société.* Paris : Seuil, 543 pages.

Tully, James (1999). *Une étrange multiplicité : le constitutionnalisme à une époque de diversité.* Québec : Presses de l'Université Laval, 260 pages.

Weber, Max (1995). *Économie et société.* Traduction de Julien Freund. Paris : Pocket, 2 volumes.

Weber, Max (1996). *Le savant et le politique.* Traduction de Julien Freund Paris : Éditions 10/18, 224 pages.

Chapitres de livres

Anctil, Pierre (2011). « Reasonable Accommodation in the Canadian Legal Context : A Mechanism for Handling Diversity or a Source of Tension ? ». Dans *Religion, culture, and the state : reflections on the Bouchard-Taylor Report*, Howard Adelman et Pierre Anctil (dir.), p. 16-36.

Anctil, Pierre (2011). « Introduction ». Dans *Religion, culture, and the state: reflections on the Bouchard-Taylor Report*, Howard Adelman et Pierre Anctil (dir.), p. 3-15.

Asselin, Michèle (2011). « La Fédération des femmes défend la cause de toutes les femmes ! ». Dans *Le Québec en quête de laïcité*, Normand Baillargeon et Jean-Marc Piotte (dir.), p. 121-128.

Baril, Daniel (2011). « La laïcité sera laïque ou ne sera pas ». Dans *Le Québec en quête de laïcité*, Normand Baillargeon et Jean-Marc Piotte (dir.), p. 43-54.

Beauchemin, Jacques (2010). « La notion de diversité comme lieu commun ». Dans *La Diversité québécoise en débat: Bouchard, Taylor et les autres*, Bernard Gagnon (dir.), p. 27-41.

Beauchemin, Jacques (2011). « Le rapport à l'histoire dans la société des identités. La dette mémorielle comme enjeu ». Dans *Mémoire et démocratie en Occident: concurrence des mémoires ou concurrence victimaire*, Jacques Beauchemin (dir.), p. 9-23.

Bédard, Éric (2008). « Les origines personnalistes du "renouveau pédagogique". Pierre Angers s.j. et *L'activité éducative* ». Dans *Par-delà l'école-machine*, Marc Chevrier, (dir.), p. 135-172.

Benhadjoudja, Leïla (2014). « Au-delà de la folklorisation et de l'altérisation suspicieuse ». Dans *Le Québec, la Charte, l'Autre, et après ?* Marie-Claude Haince Yara El-Ghadban et Leïla Benhadjoudja (dir.), p. 55-74.

David, Françoise (2011). « Des convictions et des doutes ». Dans *Le Québec en quête de laïcité*, Normand Baillargeon et Jean-Marc Piotte (dir.), p. 84-95.

Descarries, Francine (2013). « Pourquoi les femmes québécoises ont-elles besoin d'un État laïque dans leur lutte à l'égalité ? ». Dans *Pour une reconnaissance de la laïcité au Québec*, Daniel Baril et Yvan Lamonde (dir.), p. 97-108.

Gagnon, Bernard (2010). « Charles Taylor, la neutralité de l'État et la laïcité ouverte ». Dans *La Diversité québécoise en débat: Bouchard, Taylor et les autres*, Bernard Gagnon (dir.), p. 157-176.

Ghazal, Ruba (2011). « Pour replacer le débat sur la laïcité au Québec dans son contexte ». Dans *Le Québec en quête de laïcité*, Normand Baillargeon et Jean-Marc Piotte (dir.), p. 144-154.

Haince, Marie-Claude (2014). «Ségrégation tranquille ou comment se débarrasser des intrus». Dans *Le Québec, la Charte, l'Autre, et après?*, Marie-Claude Haince, Yara El-Ghadban et Leïla Benhadjoudja (dir.), p. 25-38.

Juteau, Danielle, Marie McAndrew et Linda Pietrantonio (1998). «Multiculturalism à la Canadian and Intégration à la Québécoise. Transcending their Limits». Dans *Blurred Boundaries: Migration, Ethnicity, Citizenship*, Rainer Bauböck et John Rundell (dir.), p. 95-110.

Lamonde, Yvan (2014). «De quoi la politique est-elle capable?». Dans *L'urgence de penser: 27 questions à la Charte*, Jonathan Livernois et Yvon Rivard (dir.), p. 69-72.

Lampron, Louis-Philippe (2014). «Les institutions judiciaires et le phénomène de la judiciarisation du politique au Québec et au Canada». Dans *La politique québécoise et canadienne: une approche pluraliste*, Alain-G. Gagnon, (dir.), p. 299-322.

Lévesque, Nicolas (2014). «La charte des peurs québécoises». Dans *L'urgence de penser: 27 questions à la Charte*, Jonathan Livernois et Yvon Rivard (dir.), p. 77-82.

Maclure, Jocelyn (2008). «Le malaise relatif aux pratiques d'accommodement de la diversité religieuse: une thèse interprétative». Dans *L'accommodement raisonnable et la diversité religieuse à l'école publique: normes et pratique*, Marie McAndrew, Micheline Milot, Jean-Sébastien Imbeault et Paul Eid (dir.), p. 215-242.

Nootens, Geneviève (2010). «Penser la diversité: entre monisme et dualisme». Dans *La Diversité québécoise en débat: Bouchard, Taylor et les autres*, Bernard Gagnon (dir.), p. 56-73.

Piotte, Jean-Marc (2011). «Le voile et le crucifix». Dans *Le Québec en quête de laïcité*, Normand Baillargeon et Jean-Marc Piotte (dir.), p. 60-78.

Poisson, Marie-Michelle (2011). «Arguments contre une propagande». Dans *Le Québec en quête de laïcité*, Normand Baillargeon et Jean-Marc Piotte (dir.), p. 109-117.

Rocher, Guy (2011). «La laïcité de l'État et des institutions publiques». Dans *Le Québec en quête de laïcité*, Normand Baillargeon et Jean-Marc Piotte (dir.), p. 23-31.

Rocher, François et Micheline Labelle (2010). « L'interculturalisme comme modèle d'aménagement de la diversité : Compréhension et incompréhension dans l'espace public québécois ». Dans *La Diversité québécoise en débat : Bouchard, Taylor et les autres*, Bernard Gagnon (dir.), p. 179-203.

Rousseau, Louis (2011). « Le cours Éthique et culture religieuse. De sa pertinence dans un État laïque », Dans *Le Québec en quête de laïcité*, Normand Baillargeon et Jean-Marc Piotte (dir.), p. 99-108.

Thériault, Joseph Yvon (2010). « Entre républicanisme et multiculturalisme : La Commission Bouchard-Taylor, une synthèse ratée ». Dans *La Diversité québécoise en débat : Bouchard, Taylor et les autres*, Bernard Gagnon (dir.), p. 143-156.

Toledo Freiwald, Bina (2011). « "Qui est nous ?" Some Answers from the Bouchard-Taylor Commission's Archive ». Dans *Religion, culture, and the state : reflections on the Bouchard-Taylor Report*, Howard Adelman et Pierre Anctil (dir.), p. 69-85.

Tremblay, Stéphanie (2009). « Entre pluralisme et appartenance citoyenne : quel rôle pour l'école québécoise ? ». Dans *Appartenances religieuses, appartenance citoyenne : un équilibre en tension*, Paul Eid, Pierre Bosset, Micheline Milot et Sébastien Lebel-Grenier (dir.), p. 393-419.

Weinstock, Daniel (2011). « Laïcité ouverte ou laïcité stricte ? Une critique de la Déclaration pour un Québec laïque et pluraliste ». Dans *Le Québec en quête de laïcité*, Normand Baillargeon et Jean-Marc Piotte (dir.), p. 32-42

Articles de périodiques

Baril, Daniel (2007). « Les accommodements religieux pavent la voie à l'intégrisme ». *Éthique publique*, vol. 9, n° 1, p. 174-181.

Beauchemin, Jacques (2011). « 50 ans de Révolution tranquille, quand les Québécois pratiquent la terre brûlée mémorielle ». *Bulletin d'histoire politique*, vol. 19, n° 3, p. 94-97.

Beauchemin, Jacques (2012). « Le conservatisme à la défense du monde commun ». *Argument*, vol. 14, n° 1, p. 8-17.

Bock-Côté, Mathieu (2008). « Derrière la laïcité, la nation. Retour sur la controverse des accommodements raisonnables et sur la crise du multiculturalisme québécois ». *Globe*, vol. 11, n° 1, p. 95-113.

Bock-Côté, Mathieu (2010). « Le multiculturalisme en débat : retour sur une tentation thérapeutique ». *Bulletin d'histoire politique*, vol. 18, n° 3, p. 227-267.

Bourdieu, Pierre (1971). « Le marché des biens symboliques ». *L'Année sociologique*, vol. 22, p. 49-126.

Bourdieu, Pierre (1975). « La spécificité du champ scientifique et les conditions sociales du progrès de la raison ». *Sociologie et Sociétés*, vol. 7, n° 1, p. 91-118.

Brodeur, Patrice (2008). « La commission Bouchard-Taylor et la perception des rapports entre "Québécois" et "musulmans" au Québec ». *Cahiers de recherche sociologique*, n° 46, p. 95-107.

Brosseau, Olivier et Cyrille Baudouin (2012). « Cette étrange fondation Templeton ». *Les dossiers de* La Recherche, n° 48, p. 28-30.

Côté-Boucher, Karine et Ratiba Hadj-Moussa (2008). « Malaise identitaire : islam, laïcité et logique préventive en France et au Québec ». *Cahiers de recherche sociologique*, n° 46, p. 61-77.

Courtois, Stéphane (2010). « Le Québec face au pluralisme : un plaidoyer pour l'interculturalisme ». *Argument*, vol. 13, n° 1, p. 101-113.

Courtois, Charles-Philippe (2010). « La nation québécoise et la crise des accommodements raisonnables : bilan et perspectives ». *Revue internationale d'études canadiennes*, n° 42, p. 283-306.

Gagnon, Alain-G. (2000). « Plaidoyer pour l'interculturalisme ». *Possibles*, vol. 24, n° 4, p. 11-25.

Gingras, Yves (2009). « Qu'est-ce qu'un dialogue entre science et religion ? ». *Argument*, vol. 11, n° 2, p. 16-27.

Jobert, Bruno (1992). « Représentations sociales, controverses et débats dans la conduite des politiques publiques ». *Revue française de science politique*, vol. 42, n° 2, p. 219-234.

Labelle, Gilles (2011). « Nos pluralistes ». *Argument*, vol.13, n° 2, p. 3-10.

Lemieux, Cyril (2007). « À quoi sert l'analyse des controverses ? ». *Mil neuf cent*, n° 25, p. 191-212.

Maheu, Pierre (1965). « Les fidèles, les mécréants et les autres ». *Parti pris*, vol. 2, n° 8, p. 20-42.

Milot, Micheline (2005). «Les principes de la laïcité au Québec et au Canada». *Bulletin d'histoire politique*, vol.13, n° 3, p. 13-27.

Poisson, Marie-Michelle (2010). «Récupération identitaire et fixation sur le voile. Deux attitudes fausses à l'égard de la laïcité». *Cité laïque*, n° 17, p. 9.

Rand, David (2007). «Charles Taylor est-il compromis avec le Prix Templeton?». *Cité laïque*, n° 9, p. 12-16.

Renaud, Jean (2013). «Les deux laïcismes: au sujet de la Charte des valeurs québécoises». *Égards*, vol. 11, n° 41, p. 33-46.

Rocher, Guy (2010). «L'État québécois a besoin d'une Charte de la laïcité, et non d'une laïcité "ouverte" à la Bouchard-Taylor». *Cité laïque*, n° 16, p. 13-14.

Rousseau, Guillaume (2014). «Pour une loi-cadre sur la convergence culturelle». *Les Cahiers de la CRIEC*, n° 36, p. 79-95.

Roy, Martin (2014). «Le programme laïciste de la revue de gauche *Parti pris* (1963-1968)». *Bulletin d'histoire politique*, vol. 22, n° 3, p. 205-228.

Taylor, Charles (1963). «L'État et la laïcité». *Cité libre*, n° 54, p. 3-6.

Walzer, Michael (1990). «The Communitarian Critique of Liberalism». *Political Theory*, vol. 18, n° 1, p. 6-23.

Weinstock, Daniel (2007). «La "crise" des accommodements raisonnables au Québec: hypothèses explicatives». *Éthique publique*, vol. 9, n° 1, p. 20-27.

Sites internet

Bédard, Éric. «Pour la charte des valeurs québécoises». *Argument*. 10 septembre 2013. Exclusivité web, www.revueargument.ca/ article/2013-09-10/582-pour-la-charte-des-valeurs-quebecoises.html.

Charbonneau, François. «Contre la charte des valeurs». *Argument*. 10 septembre 2013. Exclusivité web, www.revueargument.ca/ article/2013-09-10/581-contre-la-charte-des-valeurs-quebecoises.html.

Courtois, Stéphane. «Charte de la laïcité: huit préjugés». *Argument*. 10 septembre 2013. Exclusivité web, www.revueargument.ca/ article/2013-09-10/601-charte-de-la-laicite-huit-prejuges.html.

Messier, Louis-Philippe. « Le crucifix contre la Passion : "Notre laïcité sera enracinée ou ne sera pas" ». *Argument*. 10 septembre 2013. Exclusivité web, www.revueargument.ca/article/2013-09-10/592-le-crucifix-contre-la-passion-notre-laicite-sera-enracinee-ou-ne-sera-pas.html.

Mémoire

Ville de Saguenay (2007). *Mémoire sur les accommodements raisonnables*. Présentation de Jean Tremblay. Québec : Anne Sigier, 118 pages.

Actes de colloques

Jézéquiel, Myriam (2007). « L'accommodement à l'épreuve des stratégies identitaires ». Dans *La justice à l'épreuve de la diversité culturelle*. Actes du sixième symposium de la Chaire de recherche du Canada en études québécoises et canadiennes, Myriam Jézéquel (dir.). Cowansville : Éditions Yvon Blais, p. 131-146.

McAndrew, Marie (1995). « Multiculturalisme canadien et interculturalisme québécois : mythes et réalités ». Dans *Pluralisme et éducation : politiques et pratiques au Canada, en Europe et dans les pays du Sud*, Marie McAndrew, Rodolphe Toussaint et Olga Galatanu (dir.). L'apport de l'éducation comparée. Actes du colloque de l'Association francophone d'éducation comparée, tenu à l'Université de Montréal, 10-13 mai 1994. Montréal : Université de Montréal, p. 33-51.

Recensions

Gagnon, Nicole (2008). « De l'interculturalisme », note critique sur Leroux, Georges (2007). *Éthique, culture religieuse, dialogue. Arguments pour un programme* ; et sur Bouchard et Taylor (2008). *Fonder l'avenir : Le temps de la conciliation*. Dans *Recherches sociographiques*, vol. 49, n° 3, p. 523-535.

Leroux, Georges (2009). Compte rendu de Bouchard-Taylor (2008). *Fonder l'avenir : Le temps de la conciliation*. Dans *Globe*, vol. 12, n° 1, p. 167-176.

Mémoires de maîtrise

Baril, Geneviève (2008). «*L'interculturalisme: le modèle québécois de la gestion de la diversité*». Mémoire présenté comme exigence partielle en science politique à l'Université du Québec à Montréal, 127 pages.

Leroux, Judith (2011). «La manifestation publique de l'appartenance religieuse. L'argumentation d'opposants aux accommodements raisonnables». Mémoire présenté comme exigence partielle à la maîtrise en sociologie à l'Université du Québec à Montréal, 167 pages.

Parent, Jocelyn (2011). «Qu'est-ce que la laïcité? Le Québec laïque a-t-il fait le choix de la "laïcité ouverte"?». Mémoire présenté comme exigence partielle en science politique à l'Université du Québec à Montréal, 302 pages.

Quérin, Joëlle (2008). «"Accommodements raisonnables" pour motif religieux: étude d'un débat public». Mémoire présenté à la Faculté des études supérieures de l'Université de Montréal en vue de l'obtention du grade de maître ès sciences (M.Sc.) en sociologie, 163 pages.

Tessier, Nicolas (2008). «Le Mouvement laïque de langue française: laïcité et identité québécoise dans les années 1960». Mémoire présenté comme exigence partielle en histoire à l'Université du Québec à Montréal, 130 pages.

Tremblay, Stéphanie (2008). «École, religion et formation du citoyen: transformation au Québec (1996-2008)». Mémoire présenté comme exigence partielle à la maîtrise en sociologie à l'Université du Québec à Montréal, 226 pages.

Rapports et documents publics

[Rapport Stasi] Paris (2003). *Commission de réflexion sur l'application du principe de laïcité dans la République*. Rapport au président de la République. Paris: La Documentation française, 78 pages.

[Rapport Bouchard-Taylor] Québec (2008). *Fonder l'avenir: le temps de la conciliation*. Rapport intégral. Commission de consultation sur les pratiques d'accommodement reliées aux différences culturelles, 310 pages.

[Rapport Proulx] Québec (1999). *Laïcité et religions. Perspective nouvelle pour l'école québécoise. Groupe de travail sur la place de la religion à l'école*. Ministère de l'Éducation du Québec, 282 pages.

[Rapport Parent] Québec (1966). Commission royale d'enquête sur l'enseignement dans la province de Québec. Rapport, 5 tomes.

[Rapport Laurendeau-Dunton] Canada (1967-70). Commission royale d'enquête sur le bilinguisme et le biculturalisme. Ottawa : Imprimeur de la reine, 6 volumes.

Achevé d'imprimer
sur les presses de
Imprimerie H.L.N.
Imprimé au Canada - Printed in Canada